歩きたくなるHawaii

ハワイの自然と歴史をいっそう楽しむお散歩コース

近藤純夫

亜紀書房

歩きたくなるHawai'i

ハワイの自然と歴史をいっそう楽しむお散歩コース

もくじ

Mauna Kea - Big Island

はじめに

ハワイを訪れ、機会があれば必ず行くところがある。標高4205メートル、ハワイ諸島の最高峰であるマウナ・ケアの山頂だ。3000メートルほどの高さにあるオニヅカセンターから徒歩で登ることもあるけれど、たいていはお手軽に車で出かける。サンセットの頃、道路の終点に到着し、すぐ傍らにある山頂まで10分ほどかけて登る。

最高地点には小さな祭壇があるだけで、周囲に遮るものなどないから、つねに強風が吹き荒れている。南にそびえるマウナ・ロアと、雲海の先に頭を出すファラライ山や、遠くマウイ島のハレアカラ山をじっと見つめていると、まるで天界にでもいるような神々しい気分になる。そして不思議なことに、顔をそむけてしまうほどの風に叩かれながらも、ぼくはそこに立つといつも心が優しく穏やかになる。心の奥深くまで静寂が染みわたるかのようだ。自分でも驚くほど素直な気持ちになり、これまでの悪かった行ないをリセットしようと思えてくるのだ。

やがて黄金に輝く雲海の彼方に陽が沈み、ほどなく天空いっぱいに残照が広がる。黄色からオレンジ、そして紫色の天頂に向かって、たとえようもないほど美しいグラデーションが大空に広がる。心の芯まで透き通る感じで、なぜか涙がにじみ出る。冷たい風がそうさせるのかもしれないが、そうじゃないと別のぼくがささやく。ここには何かがある。それは人によって異なる感覚だと思うけれど、その何かは、ハワイのあらゆる場所に染みわたっているように思えるのだ。

リゾート地としてのワイキキのイメージがあまりに強すぎるので、その他の土地はあまり話題にならない。ハワイ島のキラウエアが吐き出す溶岩や、モロカイ、ラナイの赤土が舞う原初の島の風景、カウアイやマウイの透き通るような空と海。そのいずれにも、マウナ・ケアで体験するのと似た感覚が漂っている。それを堪能するには、ただ素直に自分の心を開けばいい。

ぼくはこの当たり前のことを地元の人々との付き合いから知らされた。彼らの外来者に対する目線はそっけないと思っていたけれど、ちょっとしたきっかけから会話が生まれると、その態度は一変する。まるで旧来の友のように、肩を抱き寄せ、親しげに話してくるのだ。心を閉ざしていたのはぼくの方であって、彼らはいつも自然体だった。

ハワイを知ることは自分を知ること。その単純なからくりがわかってから、ハワイに対する関心はより一層深いものとなり、あふれんばかりの好奇心を抱きながら島々を巡っている。ホノルルのような大都会から高山に広がる深い森にいたるまで、ぼくが感じ、知り、味わうことはいまも限りなくある。ここに記したのは、そんなぼくの踏み跡のようなもの。これまでに魅了された体験から、そのいくつかをここに書きとめてみた。

Book Design & Illustration: 佐藤 有(D-KNOTS)
Photo: 近藤純夫(P.131右、P.134中段中、下段左、
P.135上段右は高木夕可里)

ワイキキ・ウォーク

ビーチさんぽ

✿ワイキキが湿地帯だった頃

ワイキキは言わずとしれた人気リゾート地。でも、リピーターには少し煙たいところかもしれない。今回が初めてのハワイという観光客がビーチ（※15頁参照）に群がっているのを見ると、「いまさらワイキキでも……」という気分になるに違いない。ぼくもハワイに通いはじめて10年くらいまでは、まだワイキキで泳いでないことを自慢の種にしていた。でも、意外にワイキキの奥は深い。一〇〇〇年以上も前から人々がこの地に魅了されてきたという事実を知れば、なかなか侮れないと思えてくるはずだ。

ところで、なぜここはワイキキと呼ばれるのだろう。答えはハワイ語のなかに隠されている。かつてワイキキは大湿地帯だった。ワイキキ（Waikīkī）の「ワイ」は「水」、「キーキー」は「湧き出る」という意味があって、ワイキキ一帯は豊富な水が湧き出る大湿地帯だったのだ。

湿地帯なんて暮らすにはあまり向かないと思うかもしれない。でも水が湧き出るというのは、ハワイ人にとっては重要な意味がある。というのも、ハワイの土壌はとても水はけがよいので、なかなか淡水がたまらず、そのせいで川や湖が少ない。だから島の権力者は、必ず淡水の豊富な土地を独占していた。人々は湿地帯を利用して彼らの主食だったタロイモを作ったり、池（フィッシュポンド）で魚を養殖したりした。ワイキキは当時のハワイの人たちの主食と副食を供給する場所でもあったのだ。

その当時の食文化を楽しむことは今もできる。たとえばカパフル通りのオノ・ハワイアン・フーズなんかどうだろう？　ぼくが店のおばちゃんにポイを注文すると、「今日のはちょっと酸っぱいよ。全部食べられるかい？」と念を押されたりする。そんなときは試食をしてから注文するけれど、ハワイの伝統文化はこんなふうに、いまもしっかりあちこちで根づいている。

19世紀以降にハワイに住みついた欧米人にとっては、湿地帯は価値がなかった。蚊が発生したり、汚水がたまりやすかったりする不潔な場所というイメージが強かったからだ。ただし立地条件はよかった。彼らはワイキキをリゾート化しようと、山側の土を掘り出してアラワイ運河を造り、川の水を海に逃がした。掘り出した土で残りの湿地帯を埋め、魚の養殖池は海のサンゴを砕いて投げ入れて埋め尽くしたのだ。壮大な環境破壊だけど、当時の経済を牛耳っていたのは白人たちだし、彼らは利権を得ることに熱心だったから、立地条件のよいワイキキを一大リゾート地として開発することに反対する金持ちはごく少数だった。

ワイキキはすっかり変わってしまったけれど、リゾート地の北側の山には植物が生い茂っていて、昔からそれほど変わっていない。貿易風はワイキキの北に連なるコオラウの山々に雨を落とし、その水はマキキやマノア地区から流れ下ってワイキキをはじめとするホノルルの町に達する。マノアと言えばハワイ大学の校舎で知られるところだけど、その奥の森にはコーヒーノキが点在する。いまは雑木と化している奥深い山中にはハワイ島最古のコーヒーの木よりも古い木もある。南米から持ちこまれたコーヒーノキは最初にこの地域に植林され、コーヒー畑作りを目指したからだ。結果は失敗だったけれど、その当時の木は細々ながらこの一帯に根づ

上／空から見たワイキキ中心部　下／ワイキキ・ビーチに並ぶレンタル用のサーフボード

左／マキー・ロードの道路標識とダイヤモンドヘッド　右上／マノアの街並み　右下／スターバックス・マノアバレー店

アラワイ運河

いているのだ。さらに古い時代の植生を知りたければ、在来の植物を展示しているライアン演習林に行ってみよう。ここでは手軽に昔と遭遇できる。

ぼくはホノルルではほぼ毎回、この演習林へ出かける。意外なようだけどハワイにも四季はあるし、限られた季節に咲く花もある。午後の遅くに出かけていって、辺りが暗くなるころに香りを放つ花々を楽しむなんて、結構ぜいたくな体験だと思っている。ただ、のんびりし過ぎてゲートを閉められ、車を出せなくなったことも何度かある。

野趣あふれる演習林の植物を見たあとはビジターセンターで日系人のおじちゃん、おばちゃんたちから情報を収集する。花の咲く時期、果実のなる時期、野鳥たちが集まる時期。彼らが知らないことはその場で関係者に連絡を取って教えてくれる。

帰りはたいていスターバックスのマノアバレー店に寄る。小さなカフェだけど、夏はシャワーツリーの見事な花を楽しめるし、そうでないときもハワイ大学の学生たちがＰＣや本を広げて勉強している雰囲気が気に入っている。こちらも読書に身が入るというものだ。

ある日のこと、ぼくはもう少しマニアックにかつての湿地帯を探索しようと、クヒオ通りを動物園方面に歩いた。カピオラニ公園の周辺には小道がたくさんあって、ここがかつて海だったときの小島や入江の名前を道に付けたものがあるのだ。そのひとつにマキー・ロードがある。クヒオ通りからカパフルに出る直前にちょっとだけ奥に伸びている路地で、ほとんどの人は道とは気づかずに通り過ぎるところだ。この道はカピオラニ公園を造ったときのメンバーのひとりだったジェームズ・マキーの名にちなんだもの。ワイキキがまだ湿地帯だったころ、ハワイでの彼の功績を評して人工池に配した小島にマキー・アイランドという名を付けたのだ。ところがその後の干拓で島は消えてしまう。そこで彼の名前を通りの名に残したのだった。島は現在のホノルル動物園の駐車場辺りにあったらしい。そう言えばマキー・アイラニ（マキー・アイランド）という歌もあるけれど、歌詞はワイキキやカピオラニ公園の一部が20世紀初頭まで海であったことを教えてくれる。現在は高級アパートが1棟建つだけ。そんな控えめな様子から過去がしのばれる。

つくられた楽園

ワイキキ・ビーチの話に戻ろう。ワイキキを上空から望むと、周辺は沖合までサンゴ礁が続いているのがわかる。ウルニウ通りからカパフル通りまでの海岸線には防波堤があって、景観を台なしにしている。なのになぜそんなものを造ったのか不思議に思ったことはないだろうか。実はこれは防波堤ではなく防砂の役割を果たしている。それも外からの砂を防ぐのではなく、堤の内側にある砂を波に持っていかれないようにしているのだ。あの無粋なコンクリートを取り払うと、ほどなく砂は消えてしまう。

カパフル通りからカピオラニ公園の西まではサンゴ礁が海岸近くまであるので防波堤はないけれど、海面下の砂は少ない。この大量の砂は1920年代から30年代にかけて本土のカリフォルニア州からタンカーで運ばれてきたもの。その後、ハワイ諸島各地や、遠くはオーストラリアからも持ちこまれた。海底の砂を吸引してビーチに戻すという奇策が行われたこともあるけれど、年々砂は減少するので、今後も砂の補給は欠かせない。その一方で、ワイキキ周辺の海に堆積する膨大な砂のせいで波やサンゴの成長に影響が出たりすることが危惧

かつては競馬場もあったカピオラニ公園

左／ワイキキのメイン通り、カラーカウア・アベニュー　右／夕暮れのワイキキ・ビーチ

されている。

そもそも砂というものはどのようにして出現するのだろう？　砂はサンゴの破片が波に砕かれてできたりするけれど、ウフ（ブダイ）という魚にも関係している。この魚はサンゴ礁のサンゴを噛み砕いて食べる。ウフの排泄物の成分はほとんどがそのまま排出されるサンゴの残骸、つまり砂なのだ。なかでもナガブダイのメスはウフ・パール

サンゴを食べるウフ

※ワイキキ・ビーチってどこからどこまでか知っている人って意外に少ないんじゃないかな？　実はデューク・カハナモク・ビーチ、フォートデルッシー・ビーチ、グレイズ・ビーチ、クヒオ・ビーチ（通称ワイキキ・ビーチを含む）、カピオラニ・ビーチ、クィーンズサーフ・ビーチ、サンスーシ・ビーチ（カイマナ・ビーチ）の６つのビーチを総称してワイキキ・ビーチという。ワイキキ・ビーチは、だからヒルトン・ハワイアン・ビレッジからカピオラニ公園までの長大なビーチなのだ。

Have a Nice Trip! Approach MAP 01

いにしえのワイキキアクセスマップ

カルカ（大量に糞をする魚）という名が付いていて、排泄される糞は年間1トンにもなる。ウフの仲間たちがつくり出す砂は、ハワイ諸島のビーチの形成に少なからず貢献していることになる。

ワイキキにはかつて路面電車が走っていた。ハワイ王朝時代、カラーカウア王がイギリスの会社に発注し、ダウンタウンからカピオラニ公園脇にあるワイキキ水族館前までとココヘッドまで、線路が敷かれたのだ。1888年のことで、最初は馬が車輌を引くというのどかなものだったけれど、1903年に電化されて路面電車となった。『宝島』などの著作がある作家のスティーブンソンは、この電車に乗ってホテルからこの当時はまだホノルル水族館と呼ばれていた施設へ行き、読書をしたという優雅な時代でもあった。彼はカイウラニ王女の相談役でもあったことが知られているけれど、王女に会うにもこの電車を使ったのだろうか？　当時の路面電車は騒音がひどく、1938年前後にはトロリーバスに替えられ、さらに1957年からは自走バスに替わって今日に至っている。この水族館は1904年に、路面電車を運営していた民間会社が造ったもので、オープン当時はなんとエントランス前に鳥居があった。その後、運営は国からハワイ大学へと代わり、1955年にリニューアルした際、名称を現在のワイキキ水族館に変更して今日に至っている。

ココヤシの話もしておこう。ワイキキのカラーカウア大通りにはヤシの木の並木道がある。もしこれらのヤシの木を手つかずのままにしておいたら、ぼくはその下を歩くのにかなりの勇気がいる。ヤシの実が落ちてきたら、痛いなんていうレベルじゃ済まないからだ。でも実際には実はついていないから、落ちてくるのを心配する必要はない。ホノルル市は観光客が起き出す前の早朝に落ちそうな実や葉を切り落としているからだ。風景を維持するため、この他にもさまざまに地道な作業を行っているのだ。水もそのひとつだ。ハワイ諸島は1

年を通じてほぼ北東から風（貿易風）を受ける。海洋の湿った空気はホノルルの北に連なるコオラウ山脈にあたって雨を降らせるから、山を越えた風は乾いていることが多い。ワイキキは湿地帯だったから緑豊かな自然があったけれど、いまは運河に遮断されていて水はあまり来ない。放置しておけば青々とした草もすぐに枯れてしまうのだ。それを防ぐために、毎朝スプリンクラーで水をまいている。もし文明の利器である電気や水道が故障すると、世界有数の楽園はほどなく荒野へと姿を変えてしまうということになる。

ところでカラーカウア大通りにはなぜヤシの木が多いのだろう。それがいちばんリゾート地っぽくみえるから、というのがたぶん正解なのだろう。ロイヤルハワイアンホテル周辺はかつてヘルモアと呼ばれ、16世紀頃にオアフ島を治めていたカークヒヘヴァ王がココヤシを植えたと言われている。そこがあまりにも美しいので、カメハメハ大王やカメハメハ5世もここに居を構えたほどだ。

ぼくは、いつもそんなことをとめどなく考えながらワイキキ・ビーチを歩く……、ということはもちろんない。たいていは、暑いなあ、海に入ってすかっとするか。それだけである。

カヌーに乗って

海人たちの文化

カヌーが見たくなってアラワイ運河まで出かけた。運河と並行して走るアラワイ・ブルバードとの間にはヤシの木が植えられ、運河の脇には散策路も設けられている。朝晩のジョギングや散歩の光景と同じように、毎日夕暮れが近づく頃にはハワイ大学や民間クラブのカヌーがこの運河で練習を行う。広い運河の向こう岸にはゴルフ場があり、その先には住宅街がコオラウの山の麓に伸びて中腹まで這い上がっているのが見える。ワイキキの、周囲を圧倒するような高層ビルの景観とは無縁の、いかにものどかな光景だ。

かつてワイキキ一帯が湿地帯だった頃、ハワイの資本家たちは周辺をリゾート地に変えようとこの場所を掘り起こし、周辺の湧き水を集めて運河にした。運河はいまではすっかり周囲の景観に溶け込み、かつてを想像するのは難しい。

運河沿いに設けられた散策路はカラーカウア・アベニューを越えると左に折れ、散策路は芝生に変わる。朝や夕方、海の先の太陽のせいでヨットハーバーが美しいシルエットに浮かび上がる時間帯に、そこから海まで歩くことがある。海辺はかつて多くのカヌーが行き交った場所でもある。運河の散策路を歩いていると、静かに、ほとんど気づかぬくらいの気配しか残さず、学生たちの漕ぐアウトリガー・カヌーがすぐそばを漕ぎ抜け

上／アラワイ運河に沿って続く散策路　下／アラワイ運河に並ぶハワイ大学のカヌー

て行く。ぼくは彼らの背中を見ながら、かつての海の男たちの文化を思い描く。

ハワイでは船と言えばカヌーであり、カヌーと言えば、本体に浮子《うき》を装着したアウトリガー・タイプなのだけど、その源流はたぶん台湾と中国南部、それにもしかすると沖縄あたりまでを守備範囲にした海洋民族の船ではないかと言われている。ハワイの原風景とも言えるアウトリガー・カヌーは、先住のハワイ人がどこから来たのかという問いに対する答えでもあるのだ。

今から5、6000年前、中国南部から台湾付近一帯に、海で生計を立てる集団が出現した。海人と呼ばれる人たちだ。彼らは島々の特産物を小さなカヌーに積み込み、海を行き来して交易を行った。訪れた島々では異なる言葉が交わされていたので、海人たちは取引に必要な共通の言語を作り出した。物資をやりとりすることで、言葉だけでなく文化の一部をも、交易相手である島々と共有していった。彼らの交易範囲が拡大していくと、共有する文化圏も拡大し、海で生計を立てる海人集団は島伝いに独自の文化を発展させ、この文化が後のポリネシア文化の土台となっていった。

地球は過去に何度も氷河期に見舞われている。最後の氷河期は、今から1万3000年前頃まで続き、その間、海水面は現在よりもかなり下がっていた。その結果、東南アジアからオーストラリア大陸にかけての広い海域には、今よりもはるかに多くの島があり、島々が連結した大陸も存在していた。やがて氷河期が終わり、地球が暖かくなると、海面は再び上昇しはじめたが、3000年ほど前までは今より多くの島がまだ残されていた。海人たちはそれらの島伝いに地球を南下し、ニューギニア大陸に至ると、今度は東に進んでメラネシアやミクロネシア、そしてポリネシアと呼ばれる海域に独自の文化を築き上げていった。ただし、メラネシアとミクロネシアとでは同じモンゴロイドでも遺伝子的にはかなり離れているので、おそらくは同時進行的に別々の集団が移動を行ったのかもしれない。ミクロネシアの集団はやがてフィジーを経てポリネシア西端のサモアまで進んだ。

ぼくが初めてカヌーに乗ったのはワシントン州シアトルでのことだ。ここに本社のあるアウトドア・メーカーの社員の誘いで、夕方から海に出てカヌーに乗った。アウトリガー・タイプではなかったけれど、ものすごく敏感に波や揺らぎを受け止める感覚が新鮮だった。ぼくは若いときからスキンダイビングをしているのだけど、海中にいて感じる揺らぎとどこか似ている気がした。すぐにカヌーが気に入ったものの、その後、洞窟探検をするようになってからはラフティングにはまってしまい、カヌーのことは記憶から薄れていった。けれども、アラワイ運河で出会った、アメンボのように移動するカヌーを見たとき、時間は一気に過去へとワープして、そのときの揺らぎがぼくの体に戻ってきた。

古代の戦闘用カヌー。高速で移動できた

左／博物館に展示されたコア製のカヌー（マウイ島ワイルク）　右／サーファーの彫像（オアフ島ワイキキ）

左／イミロア天文学センターに展示された復元カヌー（ハワイ島ヒロ）　右／プウ・ホヌア・オ・ホナウナウ国立歴史公園に展示された伝統カヌー

夕暮れ時のカヌー・シルエット

サモアに到達した人々は、今日のポリネシア文化の基礎とも言える文化を創り上げた。その後、彼らはニウエ島やトンガ、クック諸島などを経てタヒチやマルケサス諸島に至り、この地域に定住した。それだけの時間を要しても、当時のカヌー制作は5000年以上前に南アジアで発生した原型のカヌーと大きな違いはなかったらしい。ただし、航海術は飛躍的に進化した。彼らは「2つの不可能」を克服したからだ。

ひとつは長距離移動の技術を修得したこと。それまでのカヌーは、目視できる島から島への移動が基本だった。しかし氷河期が終わって地球が温暖化し、海面が上昇すると、島と島の距離は再び遠くなってしまった。それまでの航海術が役に立たなくなりはじめたのだ。そこで彼らは交易の効率を上げようとした。船体を細くし、それを2艇つないだダブルカヌーの考案もそのひとつだ。この結果、スピードを維持しつつ、積載量を増すことに、彼らは成功した。

不可能を可能にしたもうひとつは、風上に向かって進む「タッキング」という技術を修得したことだ。それまでは、至近距離の場合は風や潮流に逆らって漕ぐという腕力まかせだったし、中距離の場合は、行きは海流に乗り、帰りは順風に乗って戻るという、風まかせの方法しかなかった。タッキング技術と、積載量の多い船を手に入れたことで、彼らは未知の世界を発見する可能性を飛躍的に高めたのだった。ただし、数千キロに及ぶ大航海には、乗りこえるべき課題がまだいくつも残されていた。

✿ 4000キロの海の旅

ぼくの2度目のカヌーは、ハワイ島サウス・コナの荒れた海で体験した。超のつく初心者なので、波が高いと乗りこなすだけでも難しいのに、そのときは波の上下を利用して岩場の上にカヌーをつけなければならなかった。失敗したときのことは想像したくなかった。その数ヶ月前、同じハワイ島のワイピオで生まれて初めて馬に乗った。鐙《あぶみ》の高さもしっかり調整できないまま、谷間の道を全力疾走で走って川を渡り、小さなギャップを飛び越える。馬が利口だっただけで、こちらはただ乗せてもらっていたのだと思う。そのときの冷や汗よりも多くの汗をかきながら、パドルを操って岩棚を目指したけれど、経験がゼロに等しいのだからうまくいくはずもない、見事に失敗してズリズリと岩場を落ちていった。その背後から高波が来て海の底に沈み……。いま考えてもよく無事に生還できたものだ。このときに乗ったのは残念ながらアウトリガーではなく、シットオンタイプのカヌーで、アウトリガー・カヌーの経験はまだない。

海人たちは西暦700年前後に、最初はマルケサス諸島から、後にはタヒチからハワイ諸島に移り住みはじめた。マルケサス諸島とハワイ諸島の間には4000キロという途方もない隔たりがあったが、彼らはどのようにしてこの、気の遠くなるような距離を克服したのだろう。そもそも、どのようにしてハワイの存在に気づいたのだろうか？ ポリネシア人は星を利用した航法に長けていたと言われる。北極星や南十字星の果たす役割を認識していたので、自分たちがどこにいるかということを確認できたのだ。しかし、目的地が決まっているのなら、それはそれで役立つだろうが、島があるかもしれない、という曖昧な理由だけで数千キロも離れた島を目指すだろうか？ 海人たちはどのようにしてハワイ諸島を見つけ出したのだろう？

最初の集団がマルケサスからハワイへ渡ったのは5世紀から7世紀の頃だと言われる。海を自分の庭のように操ることができたとはいっても、確かな情報のない島を探すというのはかなりの困難を伴ったはずだ。当時、彼らは海図のようなものを利用していたことが知られている。木の枝や貝殻、石などを利用して自分たちの航路を把握したのだ。世界の島の発見史に見られるように、たまたま難破船が漂流の末に偶然ハワイ諸島のどこかに流れ着いたのだろうか？ 航路を知っている現在でも、伝統航法では1ヶ月以上の日数を必要とする。彼らはたしかにしっかりとした技術に基づいて航海したに違いない。

午後の仕事がアロハタワーの近くだったので、マリタイム・センターへ寄ってみた。ハワイが欧米に開かれ、金持ちたちが次々とホノルルを訪れた時代の展示があって、そこには比較的多くの人が集まっていたけれど、ぼくはキャプテン・クックが西欧人として初めてハワイ諸島を発見した時代の資料に興味があった。クックが見た人々と、そこに築き上げられた文化は、そのときには紛れもないハワイ人だけのものだった。一行はどのようにハワイを見たのだろうか？ 西欧の物差しで歪められている部分を修正しながら、彼らの眼差しの先に

航海の安全を祈願するため、船首に設置されたキイ（神像）

あっただろうものを、ぼくはいろいろ想像してみた。

なぜポリネシア人たちはマルケサスやタヒチを発ち、不確かな情報を頼りに、名も知らぬ彼方の島を目指したのだろう？　飢饉や干ばつが続いて住人たちに新天地が必要になったからだろうか？　それとも伝染病が蔓延していたのだろうか？　戦争に負けて自分たちの領土を譲り渡すことになったのかもしれない。どれもありそうな話だが、おそらくはもっと根源的なものがあったのかもしれない。高度に発達した長距離航海術を背景に、ポリネシア社会には深く探検家精神が根づいていて、海人たちは新世界を目指して旅立ったに違いない。

タヒチやハワイという熱帯を挟んだ温暖の地域では、寒さは無縁に思えるかもしれないけれど、遮るもののないカヌーの上では確実に体温を奪われる。そこで彼らは皮下脂肪を厚くすることでこの問題を解決しようとした。ポリネシアの人々に巨体が多いのはそれが理由だと言われる。とは言っても、彼らの体全部に脂肪がついているわけじゃない。人間の体の中でもっとも寒さに敏感なのは胴体ではなく手足なのだ。寒さに強い人種や特定の職業を持つ家系、たとえばエスキモーや海女たちはみな四肢に平均よりはるかに多くの皮下脂肪を蓄えているけれど、胴体は基本的に筋肉なのだ。ポリネシア人の体も彼らと同じように進化したのだった。

高度に発達したカヌー文化を築き上げたポリネシア人たちだったけれど、その文化を失うのも早かった。クックたちと出会う数百年前には長距離カヌーそのものが消滅し、航法の技術もなくなっていた。いまは閉鎖中のマリタイム・センターはアロハタワー（※135頁地図参照）の脇にある。ハワイ諸島の玄関口としての栄光はいまはなく、小さなモールに訪れる人もまばらになってしまった。それでも海がハワイの人たちのアイデンティティーであることに変わりはない。海と海の文化を知ることでハワイに対する理解は深まるのだ。

フルーツの森を歩く

✿プウ・オヒア・トレイルへ

ワイキキのコンドミニアムから見えるコオラウの山々には、たいてい厚い雲がかかっている。北東から吹きつける湿り気を帯びた貿易風が山の北側に当たり、尾根の周辺に厚い雲を敷き詰める。でも、今日は珍しく青空が広がっていた。しばらく天気が持ちそうなので山歩きに出かけた。夏場のいまは森にさまざまな果実がなる。なかでもプウ・オヒア・トレイルはフルーツハンティングと言ってもよいくらいさまざまな果実が見られる。

マキキの住宅街を過ぎ、うねうねと続く山道をせわしくハンドルを切りながら登る。タンタラスの丘の少し手前で車を停め、遠くに広がるワイキキの街並みとダイヤモンドヘッドを眺めた。周りにはピタヤというゲッカビジンの仲間が野生化している。夜に美しく香しい花をつけ、花が散ったあとは甘い果実をつけるが、花が閉じた日中は、雑草というかゴミのようにしか見えない。サボテンの一種なのだが、棒きれのような葉が伸び放題に伸びていて、茂みのなかにメジロやブンチョウが飛び交じって葉を突いていた。

ワイキキの街は白っぽく輝いているのに、背後の山は急速に灰色の雲が広がりはじめていた。天気は持つだろうかという思いが頭をかすめたが、濡れたら濡れたでなんとかなる。車でわずか10分ほどの距離しかないというのに、大きく天気が変わるところがいかにもハワイらしい。

雨が多く、気温は年間を通じて温暖というハワイのたぐいまれな自然環境は、植物にとってはパラダイスのような場所だ。ポリネシア各島から人が移り住む際に持ちこまれた植物は在来の植物に深刻な影響を与えなかったが、18世紀末以降、諸外国から押し寄せた人とその文化のせいで、ハワイの植物環境は劇的に変わってしまった。数十万年から数百万年もの間、ほとんど淘汰らしい淘汰がなかった植生は、繁殖力の強い外来種に次々と駆逐され、今も分布域を減らし続けている。

キャプテン・クック以降、諸外国からの移民がはじまった200年ほど前から、ハワイ固有の植物はつねに絶滅の危機に直面している。外来植物のなかでもとくに繁殖力が強く、在来植物を徹底的に駆逐してしまう植物には影響力の程度に応じてランク付けがされている。カウアイ島のワイメア渓谷ではここ数年ランタナが爆発的な勢いで広がり、ハワイ島ではサドル・ロードの峠周辺でビロウドモウズイカが、オアフ島のマノア滝トレイルではナンヨウリュウビンタイが、プウ・オヒア・トレイルでは当初はイエロージンジャーが、現在は竹が周囲の植物を駆逐しつつある。

ただ、拡散はまだ限定的で、深刻な被害となるには少しの猶予がある。しかし、世界のワースト100に入るストロベリーグァバは、カウアイ島の東海岸にあるノウノウ山をわずか10年ほどで覆ってしまった。同じように、ハワイ島のマウナ・ケア山麓では、ビロウドモウズイカの何十倍もの勢いでハリエニシダが広がっている。花の咲く頃に上空から見ると、黄色の海が出現したと思えるほど、すき間なく広がっているのがわかる。ハワイ州はアメリカ合衆国全体の500分の1ほどの面積しかないが、絶滅の危機に瀕している動植物は3分の1を占める。ハワイの自然環境は脆弱なのだ。

トレイルの入口

雨は植物にとっては恵みとなる。タンタラスからさらに山奥へ進むと空気はさらに涼しく、森の臭いに満ちあふれはじめた。車道をはさんで登山口と反対側に小さな駐車スペースがあって、そこに車を停める。ドアを開けると甘い濃密な空気が鼻をくすぐった。すぐそばにマウンテンアップルがリンゴに似た赤い実をぶら下げ、アボカドの木にテニスボール大の緑の実が、さらには黄色く熟したグァバの実などに目を奪われる。その果実を狙って山里に生息するカエデチョウやシャマなどの鳥が代わる代わるに顔を出している。

プウ・オヒア・トレイルはコオラウ山脈の尾根に近く、ホノルルからは最奥部にあたる。かつてはオヒアとコアの森が広がるところだったが、いまは竹やイエロージンジャー、それにストロベリーグァバが生い茂って密林状態となっている場所もある。それでもトレイルは全体的に変化に富んでいるし、鳥たちとの出会いも多い。それに何と言ってもさまざまな果樹を楽しめるところが、ぼくは大いに気に入っている。

登山口からはいきなり狭くて急な木道がつづく。でも、体力的にきついのは出だしだけ。それに山道の両側にはホワイトジンジャーが覆いかぶさ

左／パウオア・フラッツ・トレイル。右手前はカユプテの木　右／プウ・オヒア・トレイルの入口

1段目／コモン・グァバの花と実　2段目／オヒア・アイの花と実　3段目／パッションフルーツの花と実　4段目／ワイルドベリーの花と実

るように咲いていて、良い香りを放っている。土地の子どもたちがするように、花をいくつか引き抜いて蜜を吸いながら登りつづける。ほどなく発酵したグァバの香りがジンジャーに取って代わり、トレイルは熟して地面に落ちたグァバのカーペットと化しはじめた。濃いピンク色をした完熟のグァバはジュースにするとおいしいけれど、生食はそれほどでもない。でも発酵した果実を拾ってビニール袋に入れ、車のダッシュボードに置いておくとちょっとワイルドな香りの芳香剤になる。

ハワイは大洋島と言って、島の誕生以来一度も大陸との接触がない上に、もっとも近い大陸から3000キロ以上も離れている。そのため、海底から出現した火山島に動植物が根づくことはきわめてまれだった。しかし、一旦根づいたものは独自の進化を遂げ、他のどこにも見られない固有の自然環境を作り上げてきた。

たとえば山のなかにナウパカ・クアヒヴィというハワイ固有の植物がある。この植物の先祖はナウパカ・カハカイで、沖縄を含む太平洋の暖かい地域に広く分布する。しかし、ハワイでは何かの偶然が重なり、沿岸部でしか育たないナウパカ・カハカイが変異を繰り返して山のなかに生育するようになった。山間部は環境的に厳しいため、大きく柔らかな葉は細く小さく硬くなり、白い大きな実は黒く小さな実に進化した。半円形の花の形はよく似ているけれど、花弁の1枚1枚は山のナウパカの方が細く繊細な形をしている。ハワイに固有の植物の多くは、このように渡り鳥の糞や海流に乗ってたどりつき、偶然に根づいた植物で構成されているのだ。

グァバを拾っていると道の先で小さな動物が横切った。ジャワマングースだ。小動物や鳥の卵が主食なのだけど、アボカドのような脂肪分の多い果実も好物で、外の皮を残し、じつにきれいに食べる。予想通り、その周辺には完熟したアボカドの実が点々と落ちていた。

やがて鬱蒼とした竹林となり、ほどなくストロベリーグァバの木が竹林のなかに混ざりはじめる。ストロベ

上段左から／アボカドの実、ストロベリーグァバの実、ピタヤの花　下段左から／ナウパカ・カハカイ、イエロージンジャーの花、イエローストロベリーグァバ

トレイルの途中、見え隠れするワイキキとダイヤモンドヘッドの景観

リーグァバは繁殖力が強く、すぐに単独で森を形成してしまうほどだが、密生した竹林のなかに進出するのは簡単ではないようだ。赤く熟した実は甘酸っぱくておいしい。中の果実を種ごと口に含んでから種子だけ吐き出して楽しむのだ。もちろん残りかすはゴミ袋に捨てている。

竹林のなかをさらにうねうねと進むと突然のように竹は消え、ストロベリーグァバやコモングァバの木が目立ちはじめるが、それもすぐに終わり、かつてのハワイの自然がまだ勢力を保つ渓谷に出る。ハワイにしかないハイビスカスのひとつであるコキオ・ケオケオの群生や、真っ赤な花をつけるオヒアが現れ、まばらにコアの木やコーピコ、オロナ、パーパラケーパウなどの固有種も見られるようになる。これこそ、悠久の昔から続く、ハワイの原自然なのだ。

外来の植物たち

プウ・オヒア・トレイルと連結しているパウオア・フラッツ・トレイルに入るとグァバやストロベリーグァバの林のなかに、ハワイに広く分布するカヒリジンジャーの群落が現れる。フラッツ（平地）と呼ばれるように、この辺りからトレイルは起伏がなくなる。道は樹木の根で覆いつくされ、かなり歩きにくい。やがてカラワヒネ・トレイル（マノア・クリフ・トレイル）との分岐に出るとほどなく前方が大きく開け、そこに「パウオア・フラッツの終点」と書かれた標識が現れる。そこを左手へ折り返すように曲がり、目の前のピークへ。ヌウアヌ・ドライブと貯水池を眼下に見下ろすことができる。道はまだ前方に続くが、ここが今回の終点だ。

このトレイルを歩く人はだれでもフルーツ採集が楽しめるけれど、ここに登場する果樹のほとんどは外来の有害植物だという事実を知ってほしい。動物も同じで、マングースだけでなく、シリアカヒヨドリもカバイロハッカもすべて「世界の侵略的外来種ワースト１００」に指定されている厄介者だ。ハワイのイメージを支え、自然との深い出会いを楽しんだつもりでも、この外来種を放置しておけば、在来の動植物は淘汰されてしまう。ハワイの自然の大半はこのような状態にあるということを知っておくことは、楽しさを未来に繋ぐためにも重要なことなのだ。

ついでに有害植物という言葉の意味もしっかり押さえておこう。イメージ的には、毒があって人間が食べたり触れたりすると問題が生じるとか、不快な臭いがするとか、見た目が美しくない、巨大化する、腐りやすい、生長が速いといった感じだろうか。でも、これらはすべて人間の側から見た評価でしかない。正しくは、生態系に被害を与える恐れのある植物のこと。人間社会にとっては、農林水産業に被害を与えるものも含まれる。要するに、他の植物と競合する結果、環境を攪乱したり、寡占状態を作り出したりする植物のことだ。

ハワイではここに挙げた植物以外にも、クリスマスベリーやウチワサボテン、バナナポカ、パンパスグラス、スズメノコビエ、ビカクシダ、オートグラフツリー、ラッツテイルなど合計１０５種類がリストアップされている。

彼方にワイキキの街並みが見える。深い森のなかから眺めているとまるで別世界なのだが、ワイキキからは街を包む緑のベルト地帯のひとつに過ぎない。ハワイ州最大の都会であるホノルルを有するオアフ島でさえ、自然はまだまだ奥深く、人の気配は少ない。しかし、外来の植物は着実に表土を崩し、森を覆い、そこに住む動物たちを駆逐しながら自然環境を変えつつある。旅行者にとってのハワイと、先住民にとってのハワイ、そして本来のあるべき自然が広がるハワイとの折り合いは、これからも試行錯誤しながら続くのだろう。深い霧が迫るなか、ぼくは小さな展望台を後にした。

左/トレイルを這う樹木の根　右／バナナポカの実

フルーツの森アクセスマップ

ホノルル探検

ダイヤモンドヘッドに登る

✿はじめての体験

ワイキキに滞在するときぼくがいちばん多く目にするもの。それは多分ワイキキビーチでもロイヤルハワイアンセンターでもなく、ダイヤモンドヘッドだと思う。この小さいながらも偉大な山に初めて登ったのは、カピオラニ公園で出会った日系人のおばあちゃんの言葉がきっかけだった。

「なかなかバスが来んねえ」まっ黒に日焼けしたおばあちゃんは尋ねるでもなくそう言った。「どこまで行くんです？」ぼくが尋ねると、「あっちさ」と言っておばあちゃんはダイヤモンドヘッドの方にあごを向けた。「そういや、まだあの山に登ったことがないなあ」「じゃ、行ってきなさい」「混んでいそうだなあ」「ノーノー、気持ちいいよお」余韻を引くようなおばあちゃんの言い回しにぼくは少しその気になった。

ワイキキビーチの目と鼻の先だというのに訪れる日本人はこれまでそれほど多くなかった。「暑いし、疲れるし……」といったところだろうか。ところがここ数年、少し様子が違ってきた。家族連れだけでなく、女性グループの登山が多くなっている。

ダイヤモンドヘッドはワイキキに欠かせない景観だけど、じつは20世紀半ばまでは、それほど人気の高い場所じゃなかった。標高はわずか232メートル。トレイルだって整備されている。では、なぜ？　それはこの山が1904年以降、軍の管轄下に置かれていたせいだ。1908年にフォート・ルーガー（カパフル・トンネル）が作られたのをきっかけに、1943年まで5つの砲台（トーチカ）が作られている。もちろん戦争に備えてのものだ。幸いなことにトーチカは使われることのないまま朽ち果てている。

この山を初めて訪れたとき、ぼくは、ずいぶん人工物の多いところだと思った。とにかくやたらと手すりが多い。自然の奥に分け入るというイメージにはほど遠いところ、それがダイヤモンドヘッドだった。

急峻な地形が災いし、登山道建設は困難をきわめたという。重い資材はラバで運び上げたので、傾斜を緩くするために、ひどくジグザグな取り付け道路（登山道）になってしまった。おまけに鉄柵を張り巡らせたせいでごちゃごちゃとし、景観が台なしだ。その上、道幅が狭く、登山者のすれ違いがたいへんなところも多い。途中2ヶ所のトンネルには2006年まで照明すらなかった。

20年ほど前のそのとき、ぼくは午後も遅くなってからこの山を登りはじめたのだけど、当時はまだどこかしらほのぼのとした雰囲気が残っていた。トーチカ内や登山道の脇で地元の兄ちゃんが水や完登証明書など、怪しげなものを売っていた（いまもまだ少しいるかな?）。ちょっとした探検気分を味わえる暗いトンネルはおもしろかった。懐中電灯を持っていてもだれも点けないのは、みな似たような気分に浸りたかったんだと思う。でも暗闇はトーチカに登る通路なのだ。登山道が軍用だったことを忘れるわけにはいかない。それに正直に言うと、頂上の雰囲気はあまり好きじゃない。雑然としすぎている。でももしかすると、ハワイを守り続けたこの山の歴史を忘れて欲しくないという、州政府のメッセージなのかもしれない。いや待てよ、それより前は先住のハワイ人の聖地だったのだし、さらに前は……と、ぼくの考えは取り止めもなくなる。深くは考えないことにしよう。

コオラウ山系（北側）から見下ろしたダイヤモンドヘッド・クレーター

ダイヤモンドヘッドは1962年に州立歴史記念物となり、1968年には国の自然史跡となって今日に至る。以前は入山料なんかなかったから、気が向いたときに行ける気楽さがあったと思う。ただ、有料になって便利になったこともある。たとえば日本人観光客には日本語のパンフレットが用意されているから、これを読むとダイヤモンドヘッドの歴史とか、登山道の詳細がよくわかる。周辺に生息する野鳥や植生についてもゲート脇の建物に大きく表示されるようになった。これらも資料にしてほしいものだ。

超巨大なクレーター

ダイヤモンドヘッドをはじめとするオアフ島の火山群は謎が多い。オアフ島は海上に姿を現してからすでに350万年も経つというのに、噴火活動は数万年前まで続いていた。ハワイ諸島は1年に10センチ近くのハイスピードで西北西へと移動を続けているので、5000年

左／登山道の途中にあるトンネルのひとつ　右上／トレイル入口のビジターセンター　右下／クレーターと周遊道路を結ぶカハラ・トンネル

クレーターを俯瞰する

前のオアフ島はハワイ島直下にあるマグマ溜まりからはずいぶん遠い位置にまで移動していたはずなのだ。なぜ噴火が起きたのだろう？　ダイヤモンドヘッドだけじゃない。高層ビル群のせいで目立たないけれど、ホノルルは火山銀座と言ってよいほど多くの火山がある。ココヘッドクレーター（ノノウラ）やココクレーター（コヘレペレペ）、ソルトレイククレーター（アリアマヌ）、ハナウマ湾……。数え上げたらきりがない。パンチボウルやマノア渓谷、カイムキの北の丘なども噴石丘と言って、噴火のときに噴き出した石が積もってできた丘の跡だ。ホノルルの街は巨大なクレーターの中に広がっているのだ。

登るにつれて下に広がるクレーターの全貌が見えてくる。ぼくはなぜかドキドキした。真円に近いクレーターは、とんでもない巨大なエネルギーがそこから噴き上がったという事実を伝えていた。

ダイヤモンドヘッドはどのようにして出現したのか？　真円に近いのは、八方に同じ力が働いて山頂が吹き飛ばされたからで、おまけに噴火が海面近くで起きたせいで、海水に接したマグマは激しい水蒸気爆発を起こして山頂を吹き飛ばしてしまったのだ。わずか２００メートルほどの高さしかない火山なのに、火口の直径が１キロもあるのはそのせいだ。

午後も結構遅い時間だというのに人が多かった。団体をやり過ごそうと通路脇のデッキに下がって眼下の人たちを見下ろした。そのとき、目の前にへんな形の岩があるのに気づいた。断面がみな斜めにカットされている。溶岩が斜めに積み上げられているのだ。クレーターが爆発したとき、爆風のせいで噴石が斜めに降り積もったに違いない。見事に丸いクレーターを見下ろすと、登山者の列が駐車場方面までさらに切れ目なく続いているのが見えた。

この山の地形にはもうひとつおもしろい事実がある。ダイヤモンドヘッドでは地形の逆転現象が起きている。

いま見える尾根の部分は、かつては渓で、渓の部分は尾根だったのだ。爆発のときに降り積もった火山灰は雨や風ですぐに削り取られてしまい、その結果、高い部分は尾根に、低い部分は渓となった。けれども尾根の部分は周辺を削り取られただけの軟らかな（不安定な）地盤だったから、風雨によってどんどん削り取られていった。渓の部分は逆に土砂の流入で圧縮され、地盤は安定した。そして、ついには最初の渓部分よりも低くなって尾根と渓が逆転したのだった。

ダイヤモンドヘッドの山頂は、かつてレーアヒと呼ばれた。アヒとはマグロ、レーは「額」（または「えら」）を意味する。アヒはハワイ料理に欠かせぬものだけど、なぜ山頂にそのような名前が付いたのだろう？遠くからこの火山を眺めると、なんとなく形がマグロに似ているとも言われるが、かつてハワイの人々はこの山の頂から魚群を追ったという。山上から眺めて初めて気づいたのは、海面が凪いでいると海のなかを見渡せることだった。漁師は魚群を確認するために山頂へ登ったに違いない。そう言えば漁の安全を祈願するマカフナという名のヘイアウ（神殿）がかつてこの山にあったとも言われている。

ヘイアウがあるということは、クレーター内が聖地でもあったということだ。レーアヒの古語はラエ・アヒと言って、「燃えさかる炎」という意味がある。かつて火の女神ペレがこのクレーターに住みついたという伝説に基づくものだ。

19世紀に英国の水夫たちがこの山を登ったとき、彼らは山中できらきらと輝く鉱物（方解石）を見つけ、それをダイヤモンドだと勘違いした。そこで彼らはこの山をダイヤモンドヒルと呼んだ。ハワイアンソングのカイマナヒラは、これをハワイ語読みしたものだ。その後、ダイヤモンドヒルはダイヤモンドヘッドと名前を変えて今日に至っている。

ダイヤモンドヘッドを筆頭に、ホノルル周辺には多くのクレーターがあるから、その後ぼくはオアフ島を訪れるたびにクレーターを巡った。場所によっては墓地だったり、私有地だったり、海のなかに没していたりするけれど、素のオアフを知るにはとてもよい経験だった。ホノルルはクレーター銀座という言葉がいちばん似合っている。

ワイキキからダイヤモンドヘッドまではバス便があるし、登りはせいぜい30〜40分というところなのでそれほどきつい登りではないけれど、それでも76段と、続いて現れる99段の階段ではみな荒い息をつく。高齢者は階段の途中で何度も休憩を入れながら、その度に振り返って下界の景色を楽しんでいた。決まった時間以内に登らなければならないというルールなんかないのだから、これはよい習慣だなあと改めて思う。ぼくも岩の間から見え隠れするワイキキの町を眺めたり、鳥の鳴き声に耳を傾けながらの登

ワイキキ方面からダイヤモンドヘッドを遠望する

山頂からの光景

Have a Nice Trip! Approach MAP 04

ダイヤモンドヘッドアクセスマップ

りをしっかり楽しんでいる。

登山道を登りつめると天井の低いコンクリートの部屋（フォート・ルーガー）にたどりつく。屈みこまなければ通れないほど狭い機銃掃射用の枠を這い出ると、目と鼻の先に最後の階段と頂上が見える。正直に言うと、コンクリートの廃墟とパイプだらけの景観はお世辞にも美しいとは言えないけれど、そこから見渡す景色は掛け値なしにすばらしい。

山頂から西の方面にはワイキキ・ビーチと高層ホテル群が建ち並び、その奥にはワイアナエ山脈の山並みが大きく広がる。真南の方角にはオモチャのようなダイヤモンドヘッド灯台が、東にはココヘッドとココクレーターが連なる。その間にあるのはハナウマ湾だ。そして北には原生の自然がまだ残るコオラウの山々がある。コオラウの向こう側は見えないけれど、そこにはカネオへの町と、いくつかのクレーターが広がっている。

ダイヤモンドヘッドの噴火ははるか昔のことかもしれないけれど、この小さな火山が放出した途方もないエネルギーのことを考えると昔の人が火山活動を恐れていた気持ちがよくわかる。言い換えるなら、火山なくしてハワイの文化は成り立たない。火山をキーワードにしたぼくのホノルル探検はまだ当分つづくだろう。

植物園へ行こう!

フォスター植物園

　高速道路のH１と、それに負けないくらい通行量の多いノースバインヤードに挟まれた一角の、少し窮屈な土地にハワイ州最古のフォスター植物園がある。ここを訪れるときは入口脇の売店でディープな植物学の本を購入したりする。それよりも大事なのはマンゴーシャーベットを食べること。これまで食べたなかでいちばんおいしい。ハレイヴァのセブンイレブンにあったボトル入りのグァバジュースと、カウアイ島リフエにあるマリオットホテルのハウピア（ココナッツを使ったお菓子）がぼくのなかのハワイの３大デザートだけど、残念なことに最初の２つはなくなり、最後のひとつは味が落ちてしまった。……ということを書きたかったわけではなくて、植物園の話だった。

　いつものように青空が広がり、蜃気楼さえ見えそうな暑い夏のある日にフォスター植物園を訪れた。ハワイ諸島は美しい花で飾られた自然の植物園というイメージがよく似合う。でも、なぜか植物園が観光名所に登場することは少ない。草花は自然に咲いているのがいちばんだけど、ハワイ固有の草花を見るなら植物園ほどよいところはない。それに草花にはプレートがついている場合が多いから、名前や由来がわかるし、ビジターセンターを併設しているところでは、いろいろな疑問に答えてもらったり、関連資料を手に入れることもできる。

上／フォスター植物園の入口　下／園内に広がる芝生

左／園内の木に着生するビカクシダ。ランやシダの一種は木を利用して生長することがある　右上／紫色のクラウン・フラワー　右下／カメハメハ・バタフライ

もちろん公園としても美しいところが多いから、ぼくは心と体のリフレッシュを兼ねていつもどこかの植物園に出かける。

ホノルルには多くの植物園があって、半分ほどはホノルル市が管理している。ハワイ州最古のフォスター植物園と、その隣のリリウオカラニ植物園もそのひとつで、ワイキキから近いので時間が空くと立ち寄ることが多い。

フォスター植物園はカメハメハ3世の妻であるカラマ王妃が、ドイツ人医師のW・ヒレブランドに土地を貸した（売った？）ことにはじまる。1850年のことだ。ヒレブラントは医師としてより植物学者としてハワイの植物学に多大な貢献をした人で、ここに家を建て、世界の珍しい樹木を植えはじめた。なぜハワイに世界の珍樹を、という疑問がないでもない。というのも、この人は島に、コモンマイナ（カバイロハッカ）という九官鳥の仲間や、鹿を放ったりもしているので、ハワイの原生自然にはあまり関心がなかったのかもしれないが、彼は英語だけでなくハワイ語にも堪能で、ハワイ固有の植物も敷地に植えていたようだ。ヒレブラントは、ハンセン病治療にも取り組み、ハワイに医師会を創設し、サトウキビ畑の労働者を募るため、ハワイ政府代表としてアジアを歴訪するなど、ハワイ史に重要な役割をいくつも担ってきた人物だから、歴史に興味のある人にとっても欠くことのできない存在なのだ。

１８６７年にヒレブラントがドイツに帰国すると、アメリカ人のトーマス・フォスターがこの土地を購入して、ヒレブラントの植物コレクションをさらに充実させた。日本では明治維新の熱醒めやらぬ頃だ。彼の死後、ハワイ人の血が混じる妻のメアリーが土地の管理を引き継いだ頃から、この土地にはユニークなものが増えはじめた。晩年仏教に帰依したメアリーは、敷地内に大仏や灯籠などのモニュメントを数多く配置したのだ。ちなみに、大仏は鎌倉の長谷大仏のレプリカで、日系移民１００周年を記念して神奈川県より寄贈されたという。他にも第２次世界大戦が勃発するまで日本語学校などがあった。

メアリーの死後、土地はホノルル市に寄贈された。１９３１年、市はこの土地に周辺の土地を加え、市立フォスター植物園として一般公開した。初代の園長は、マノアにあるライアン演習林にその名が残るハロルド・ライアン博士だった。彼は外国の樹木を増やすとともに、ランの栽培にも力を注いでいる。ライアン演習林はハワイ固有の植物に力を注いでいることで知られているけれど、ライアン博士も当初はハワイの自然環境にあまり関心がなかったのかもしれない。その後、ライアン演習林が自然環境保護の司令塔になっていることを考えると皮肉な気もする。もっとも、19世紀から20世紀半ばは、環境保全という言葉自体がほとんど存在していなかったのだから仕方のない話ではある。

フォスター植物園は今日、当初の2・5倍に拡張され、1万種もの植物を展示している。ハワイにゆかりのある植物も展示されているものの、世界中の熱帯や亜熱帯の樹木展示がフォスター植物園の基本だから、ハワイの植物を期待して訪れる人はちょっと肩すかしを食らうかもしれない。

ショップを出て入口ゲートに向かうと、窓口の横に、園内で採れる種子サンプルがおいてあって、これがなかなかおもしろい。「犬の骨」という名のついた種子は両端が盛り上がった棒のような形をしていて、種子というより枝か骨にしか見えない。断面がハート型の巨大な種子だとか、どうみてもキノコにしか見えない種子など、どうだ驚いたかという意図が見え見えの展示が、入園する前からワクワク感を演出している。このコーナーでの体験のせいか園内に落ちている木の実を見たときに、なんとなく親近感を抱くことができた。

この日の目当てはクラウン・フラワー(プア・カラウヌ)。名前のとおり王冠の形をした花をつける。ハワイ王朝最後の女王となったリリウオカラニがこよなく愛した花として知られている。園内のいちばん奥にあるせいか、訪れる人はほとんどいないけれど、敷地のすぐ外側に大きな交差点があるので寂しい感じはしない。この木からは、ハワイにたった2種類しかいない固有のチョウのうちのひとつ(カメハメハ・バタフライ)が巣立つ。ハワイでは太古の昔から植物も動物も人とつながると信じられてきた。この木に宿るチョウもまた女王の生まれ変わりなのかもしれないと言ったら、ロマンチストに過ぎるだろうか。

芝生の木陰でうたた寝をしている人、イーゼルを立てて絵を描いている人、ぼくのように写真を撮って歩く人など、それぞれに園内でのひとときを楽しんでいる。ここに来る人たちは植物を見るというより、仕事のストレスを解放する空間として使っているのかもしれない。本来の目的とは少し違う形での来場者が多いということが理由かどうかわからないけれど、フォスター植物園は長期的に入園者が減っていて、植物園としての魅力が不足していると考えられている。ホノルル市は近い将来、数億円を投入して大リニューアルを予定している。すでに青写真は描かれていて、入場ゲートや建物、植栽の位置が大きく変わる。開園当時からのエリアを残しているいまの植物園を大胆に改造する計画なので、古い時代に思いを馳せたい人は早めに訪れたほうがいいかもしれない。

リリウオカラニ植物園

フォスター植物園の北隣にはリリウオカラニ植物園がある。ここは高速1号線（H1）の建設でフォスター植物園が分断されたときに誕生したもので、園内を流れるヌウアヌ川を中心に、ハワイ固有の植物を重点的に展示している。かなり以前から造成中で完成はまだ先の施設なのだけど、工事が始まった頃に比べるとずいぶん充実してきた。案内板や植物名の書かれたプレートが多くなり、

リリウオカラニ植物園

左／コキオ・ケオ・ケオ　右／ナーヌ

左上／ハウ　左下／コキオ・ウラ　右／クルイ（上の写真の植物はすべてハワイ固有種）

固有植物の植栽が増えて、園内の道もかなり整備されている。

ハワイでは普通のことだけど、小さな橋ひとつ作るのでも数年をかけることがある。この植物園だけでなく、東端のココ・クレーター植物園も、すでに10年以上も工事が続いている。約束に遅れるのは待ち合わせでも同じ。はるかな昔から、ハワイの住人にとっての時間はゆっくりと流れるのだ。物事が決まり通りに進まないときは「ハワイアン・タイム！」と言って済ませる。これに苛立っているようでは、まだハワイの文化に十分なじんでいないということだ。ぼくはどうかと言えば、たぶん、なじんでいないと思う。

この植物園の名前は、ハワイ王朝最後の女王であるリリウオカラニがかつてこの地での散策を好んだことに由来する。広大な芝生があって、のんびりとするには最高の場所に見えるけれど、園内に川が流れているせいで蚊が多い。そのことさえ我慢できるなら、小川のせせらぎを聞きながら、巨大なバニヤンの木陰で、心地よい昼寝を楽しめるはずだ。オアフ島を南北に分けるコオラウ山脈から流れ落ちるヌウアヌ川は流れ下ってリリウオカラニ植物園に入り、園内のなかほどに小さな滝（ワイカハルル・フォールズ）をつくる。滝壺は泳ぐのに最適な場所に見えるけれど、なぜかこの川の水は汚染されていて危険だと言う人が多い。どんな恐い話が隠されているのだろう。この水の流れは高速道路をくぐり、フォスター植物園の脇を抜け、やがてサンドアイランドに突きあたって広大な太平洋に至る。

ヌウアヌ川の畔にはシェル・ジンジャーをはじめ、レッド、イエロー、ピンク、ホワイト、それにブルー・ジンジャーのちょっとした群落がある。ちなみに、ブルー・ジンジャーは見た目がちょっとばかり似ているということでこの名前になっているものの、実はショウガ科ではなくツユクサの仲間。誤った呼び名がそのまま定着してしまった。ブルー・ジンジャーとショウガ科の植物は公園の造成初期からあるけれど、当初、ハワイ固有の植物はそれほど多くはなかった。でも、最近はずいぶん様相が変わった。川から少し離れると、ハイビスカスの仲間であるコキオや、タヒチアン・ガーデニア（ティアレ）の一種であるナーヌなど、ハワイ原産の植物が数多く栽培されていて、花を見て楽しむだけでなく、すばらしい香りも楽しめる。最近は大昔にポリネシア人が持ち込んだ伝統植物も多くなった。ハワイ人の先祖である彼らが何千キロという距離を小さなカヌーを操って渡ってきたとき、生きていくために必要な最低限の物資を持ちこんだ。これらは祖国で必需品だったココヤシ（ニウ）やタロイモ（カロ）などの伝統植物だ。在来のものではないが、ハワイ文化に欠かすことのできないそれらの特別な植物20数種を伝統植物、あるいはカヌーで運んだことからカヌープランツと呼んで、その他の外来植物とは区別している。

フォスターの入園者が減少傾向にあるのに対し、リリウオカラニ植物園は絶対数こそまだ少ないものの、着実に訪問者が増えている。ハワイの植物に少しでも興味があるのならここを訪れよう。フラやレイ、ハワイアン・キルトといったハワイ文化に欠かすことのできない花の多くが、ここでは見られる。ここで足りないと思うなら、ライアン演習林を加えると完璧だ。ハワイ大学が運営するマノアの森にある演習林は、さらにディープにハワイの植物や植生を観察できる。あちらにはビジターセンターもあるから、その点も心強い。近い将来、リリウオカラニ植物園もライアンに匹敵する施設を持つ計画があるので、その成長をゆっくりと見守りたいものだ。たぶん、散策に杖が必要になる年齢までには完成していることだろう。そう願いたい。

園内のバニヤンの巨木と、その下を流れるヌウアヌ川

左／レッドジンジャー　右／ヌウアヌ川にかかる小さなワイカハルル滝

左上／ライアン演習林　左下／演習林内のタロイモ水田　右／ホワイトジンジャー

植物園アクセスマップ

Have a Nice Trip
Approach MAP
05
N
O'ahu
Liliha St.
リリハ・ストリート
North Vineyard Blvd.
ノース・バインヤード・ブルバード
North School St.
ノース・スクール・ストリート
H1
Kuakini Health System
クアキニ病院
Aala St.
アアラ・ストリート
Rehabilitation Hospital
リハビリテーション病院
入口
Nuuanu River ヌウアヌ川
Liliu'okalani Botanical Garden
リリウオカラニ植物園
入口
Foster Botanical Garden
フォスター植物園
Consulate General of Japan
日本国総領事館
Bus Stop バス停
ワイキキから4か10番のバスに乗り、ヌウアヌ川をまたぐ橋を渡ったら降ります。所要時間は20分
Nuuanu Av.
ヌウアヌ・アベニュー
Queen Emma Garden
クィーン・エマ・ガーデン
North Kuakini St.
ノース・クアキニ・ストリート
61
H1

ブックストア散策

ハワイのブックチェーン

ワイキキからＨ１に乗って東へ向かった。春になって少し青さを増したダイヤモンドヘッドを通り過ぎるとすぐに右レーンへ移り、ジェットコースターのような山なりの出口を降りる。すると、そこはもう閑静な住宅街だ。高速脇にはカハラ・モールがあって、ぼくはオアフ島滞在中に一度はここを訪れる。春の、ジャカランダの薄紫色の花が咲き乱れる季節はとくにいい。

高級住宅街として知られるカハラの名を冠しているのだからモールも高級かと言えば、いたってふつうだ。高級車も見かけるけれど、それなりの車だって多いし、ディスカウントショップもたくさん入っている。高級店もあるのだろうけど、そもそもぼくには無縁な世界ではある。

モールには2階建ての駐車場があって、ぼくはいつも2階に車を停める。強い日差しが差しこむし、ほとんど店もないので停める人は少ない。そのせいか、ショッピングモールと高速に挟まれた場所なのに、不思議に静かなのだ。そこにひとつだけぼくにとってとても大切な店がある。バーンズ＆ノーブルというアメリカのブックチェーンだ。エントランスの傍らにはタヒチアン・ガーデニアとブーゲンビレアの植栽があって、傍らに石のベンチがある。その一画は頭上のファサードのせいで日陰ができ、いつもひんやりとしているのが印象的なところだ。二重の扉を開けて店内に入ると、新刊のインクと紙の臭いが鼻をくすぐる。ぼくにとっては至福の時間がはじまる。

ハワイに滞在するときはいつも書店をはしごする。もちろん本はネットで気軽に買える。でも、ネットでは中身まではわからないし、おもしろそうな本だと思っても、買うのを躊躇することは結構ある。以前、探していたジャンルの本だと思ってオーダーしたら、なんと書籍ではなくノートだった。しっかり内容を確かめなかった自分が悪いと思いつつ、改めてサイトの解説を読んだら、どこにもノートの説明などない。「余白に思いついたことを書きとめておこう!」という説明があるだけ。とまあ、そんなこともあるので書店は重要なのだ。

ぼくは小さなころから本屋に入り浸っている。インクの臭いや、天井まで届きそうな書棚、どんと積まれた新刊雑誌。そんな空間にいるだけで口元がほころんでくる。心ゆくまでインクの臭いを吸いこむと、ぼくはハワイアナと呼ばれるコーナーに向かう。ハワイに関するあらゆるジャンルがまとめられているので、ぼくの買い物の大半はこのコーナーで済んでしまう。この日の目当ては、花の新刊書籍と、なぜかイギリスの出版社から出ているハワイの野鳥の専門書。後者は発刊が遅れていたので予約注文しておいたのだけど、なんと予約段階で完売というすごいことに。世に出る前にプレミアものになっていたのだ。その日はこの2冊を受け取った。そして店内の片隅にあるカフェでさっそくそれらの本の頁を繰った。

ハワイのブックチェーン店と言えばボーダーズ。そのボーダーズが次々と閉鎖されて、ちょっと寂しさを感じる人もいるのじゃないだろうか。そもそもボーダーズはウォールデン・ブックスを買収してハワイに進出してきた。ウォールデンも、メインランドに本拠を置く書店チェーンだったが、Kマートに買収された後、ボー

古書店のハワイアナの棚（ハワイ島ハヴィ）

ダーズ・グループに売却され、ボーダーズ・エクスプレスという名で細々ながら生き残ってきた。その後を埋めるのがボーダーズだったはずなのに、ハワイはおろか、この世から姿を消してしまった。ボーダーズ・エクスプレスの方もたぶん全部整理されるのだろう。書店が消えていくのは寂しい。

自分の目と手で触れる書店の空間はかけがえがない。床に座りこんで熟読している人、コーヒーを飲みながら店の本を積み上げて宿題を片付けている学生、CDコーナーでヘッドホンを耳にあて、体でリズムをとっている女の子、それらの光景がすっかりぼくのハワイ滞在の一部になっている。ハワイの大型書店には喫茶店が併設されているところが多く、ワイヤレスネットワークのサービスもあるから、店内の書籍や自分のPCを持ちこんで勉強している学生がとくに多い。集中して何かをやるにはこれ以上理想的なところはないくらい。ただ、書店にとっては利益を上げにくい構造になってしまった。書店だけでなく、喫茶店にとっても厳しいのだと思う。ハワイ大学の友人は、嫌われないようにするには、2時間に1度は追加の注文をすると言っていた。

ぼくはボーダーズとバーンズ&ノーブル両方のメンバーカードを持っていて、どちらもうまく活用すればかなり安く本が買える。その上、捨て値のようなバーゲンセール本が、毎日のように販売されるという薄利構造なのに、いつ訪れても閑散としているのだから、ボーダーズ倒産という結果は見えていたのかもしれない。

かつてはバーンズ&ノーブルを出たその足でワード・アベニューにあるボーダーズへ行った。音楽系はボーダーズのほうが充実しているので、こちらを利用していたのだ。ある日、なんとジェイク・シマブクロの演奏があった。店の真ん中に即席のステージが作られ、さらっと弾いてすぐに消えた。「いまのってなんだったんだろう?」という感じの演出がいい。プロ・ミュージシャンなのに、知人が演奏したのを聞いたような気分になって、ついつい応援したくなる。ボーダーズだけじゃなく、ウォルマートだとか、ふつうの店でこういった演出が行われるところがハワイらしくて好きだった。

左/スタバで勉強するハワイ大学の学生(ホノルル市マノア) 右/ビーチで読書をする人(デューク・カハナモク・ビーチ)

アメリカでは本も音楽もネットを通じ、デジタルで購入する時代になった。美しい装丁の本や、重厚な音を出すステレオセットにはかなわないが、小さなタブレットに大量の書籍や音楽を保存し、どこにでも持ち運べるのは大きな魅力だ。その気になれば小さな図書館ひとつ分くらいの本が、数百グラムのタブレットに収まってしまうのだ。ハワイでは、東京と同じように、だれもがスマートフォンやタブレットを使いこなす。アメリカのアマゾンでも電子本が紙の本の売り上げを上回ってしまった。

世の中の動きは電子本に集約されると思いがちだが、じつはちょっと嬉しい話もある。電子本の売り上げはたしかに紙の書籍の売り上げを上回ったけれど、紙の書籍の売り上げはずっと増加傾向にあるのだそうだ。少なくともアメリカでは、活字を読む人がものすごく増えているということ。ハワイのボーダーズ・チェーンはなくなってしまったけれど、ハワイに残された書店はがんばってほしい。

書店の経営は逼迫しているけれど、公立図書館や大学図書館は盛況だ。アラワイ運河の末端にあるワイキキ・カパフル公立図書館（※27頁地図参照）は、ぼくもときおり利用するのだけど、いつ訪れても賑わっている。小規模だけど図書カードさえ作れば観光客でも稀覯本を閲覧できるのがいい。他の図書館でも同じシステムのはずだし、閲覧できる本はリーズナブルな価格でコピーも取れるから、書籍探しをしている人は活用してほしい。

ボーダーズ倒産のニュースを聞いて、在庫一掃セールをしている旗艦店のワード店へ行ってみた。書籍はあらかた売られ、書棚までもが販売対象となっていた。かつてはミュージシャンが即興の演奏を行い、コーヒーの香りが新刊書籍のインクの臭いと混ざり合った、あの懐かしい場所も今はもうない。

書店を楽しむ

書店の楽しさは書籍を買うだけじゃない。ミュージックCDや映像のDVD、こじゃれた文具などを買うことも多い。ぼくの場合は米国地質調査所（日本の国土地理院に似た組織）が出す地図の入手や、数は限られるけれど報告書やミニコミ誌のようなものも物色する。いまはなくなってしまったけれど、カイルア・コナにあったミドル・アースという書店にはずいぶんお世話になった。ハワイには比較的多いのだけど、新書と古書を一緒に販売している書店で、書店にはあまりおかない文具やアンティークもあって、独特の雰囲気があった。20年ほど前、ぼくはここでハワイ島のレリーフ・マップ（立体地図）に出会って感動し、持ち帰り方法も考えずに購入した。帰りの飛行機でひんしゅくを買ったのは言うまでもない。さすがに手に持つことはできないので、客室上部の荷物入れに無理矢理入れたけれど、取り出すと少しひびが入っていて意気消沈したのを覚えている。

新書と古書の両方を取り扱う店で最大なのは、たぶんオアフ島カイルアのブック・エンズだろう。ここでは一定の金額ごとにスタンプを押してくれて、たまると店の金券として使える。これが結構な額なので、本の値付けは少し高いのだけどよく行っている。

ハワイ島ヒロのベイシカリー・ブックスは地質学関連に強く、洞窟屋だったぼくには、いちばん重要な本屋だった。ここは元々ペトログリフ・プレスという出版社で、創業当時はサドル・ロードに通じるワイアーヌエ通りにあって、いまよりずっと小さかった。初めて訪れたときは、ハワイをあげて日食観測に沸いていたときで、店内も通りもエクリプス（皆既日食）と書かれた黒いポスターにあふれていた。ハワイの詳細な地形図や地質図を初めて買ったのもこの店だった。いまは表通り（カメハメハ・アベニュー）に移り、外観もずいぶんお洒落になったが、都会から訪れた人が見たら小さくて垢抜けないと思うかもしれない。

さらに地方へ行くときはアンテナを全開にして書籍を探す。コツは雑貨屋をチェックすること。田舎では雑誌販売が中心で、ちょっとお堅い単行本はなかなか売れない。その手の本は目立たないところで埃をかぶっているので、そこに掘り出し物があったりするのだ。ただ、古書店の状況は新刊書店と同じで、オアフ島最大のチーポ・ブックスやハワイ州最大のコハラ・ブックスは両方とも店をたたんでしまった。古書店はぜひ個性で勝負してほしい。

購入しようと思った本がボーダーズでは売り切れだったので、もう一度カハラのバーンズ&ノーブルに戻ることにした。アラモアナにも支店があるけれど、静けさは望めない。駐車スペースを探して店まで歩く時間を考えれば時間的には変わりない。ワード・アベニューからH1に乗り、再び東へ向かった。車の前方に長い影ができる。サンセットが近いようだ。今日の仕事はそれで切り上げ、コーヒーでも飲みながらゆっくり品定めすることにした。

左／ワイキキ・カパフル公立図書館　右／バーンズ&ノーブル書店（カハラ・モール）

左上／ブック・バイヤーズ（ハワイ島パホア）　左下／ケアラケクア近くにあった古書店（ハワイ島カイナリウ）
右／ベイシカリー・ブックス（ハワイ島ヒロ）

ブックストアアクセスマップ

ビショップ博物館の冒険家

太平洋最大の博物館

ホノルル国際空港からワイキキ方面へ向かう高速道路（H1）を進むとLIKELIKEという道路標識が見えてくる。他州からやって来るアメリカ人観光客が最初に笑う場面なのだけど、「好き好き！」と読めて笑えるのは日本人も同じだと思う。この名前はカラーカウア王やリリウオカラニ女王の妹であるリケリケ王女の名前に由来している……などと説明しても、あまり興味はないかもしれない。

このリケリケ道路を入ってすぐのところにビショップ博物館がある。小さなゲートの先にこぢんまりとしたエントランスがあって、手前の駐車場も大きくはない。太平洋最大の博物館という異名からは少し拍子抜けするほどの規模に見えるけれど、一歩なかへ入ると内部というか、奥の土地はかなりの広さがある。太平洋の自然や文化に興味があるのなら、何はさておいてもここを訪れることを勧める。ここには求める情報のほとんどがあると言っていい。

ハワイの溶岩を切り出して積み上げた壮大な本館の頂にはバーニス・パウアヒ・ビショップ・ミュージアムの名前が掲げられている。一般にはビショップ博物館と呼ばれているけれど、正しくはこのように呼ぶ。パウアヒ王女は王家から膨大な土地（全島のおよそ9分の1！）を相続したため、その管理方法を考えていたが、志半ばで亡くなったため、夫のチャールズ・ビショップが、彼女が所有していた膨大な王家のコレクションを展示する場としてこの博物館を設立したのだった。だから、本来はフルネームで呼ぶべきなのだろうけど、施設の名としては少し長過ぎるので、単にビショップ博物館と呼ぶことにする。

彼女の遺志を継いだ夫のチャールズ・ビショップは1889年に博物館を立ち上げ、当初は王家の財宝を展示することを目的とした。やがてハワイ諸島だけでなく、ポリネシアの島々を収集の対象に広げ、今日では何百万もの芸術品や資料、写真などを収集している。2011年現在、博物館にはハワイと太平洋に関わる資料2500万点ほどが収集されているが、このなかには10万点を超える出版物と、200万点を超えるハワイ移民の文化遺産が含まれる。ビショップ博物館はこの場所以外にも、ハワイ・マリタイムセンターや、エイミー・グリーンウェル民族植物園などを運営している。

開館当時はカメハメハ・スクールという、先住ハワイ人の血をひく子どもたちのための学校があって、当時は野蛮人の文化とされてきたハワイ文化の復興を担うメッカのような存在だった。1940年にスクールが郊外に移転すると、博物館は敷地内に次々と新しい施設を作り、その規模を拡大しつつ今日に至っている。

左／マウナ・ケアの石を切り出して作った石斧（常設展示）　右／設立当時のビショップ・ミュージアム

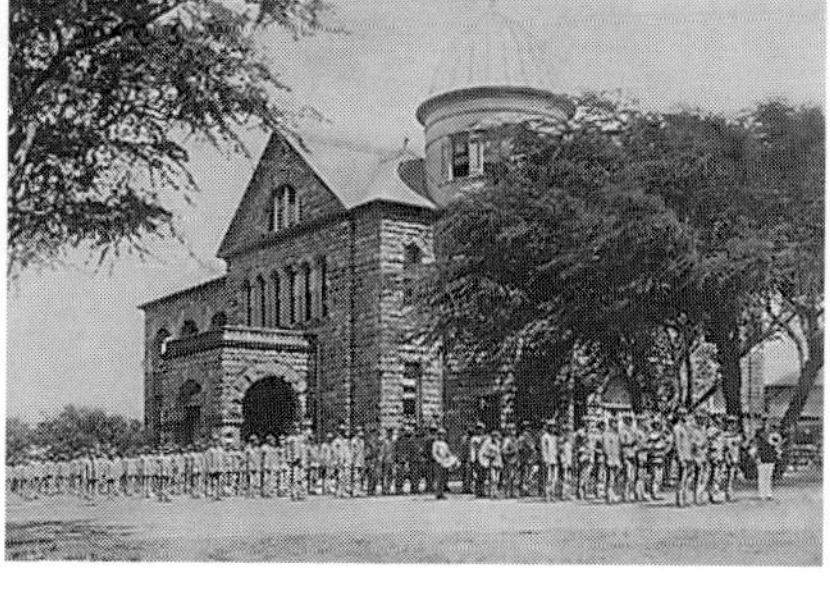

左／玄武岩を積み上げて作られたビショップ博物館本館　右上／新装されたハワイアン・ホール　右下／体験型の展示品も多い

和製インディ・ジョーンズ

その日、いつものように受付から人類学研究室に電話をつないでもらうと女性アシスタントが迎えにきてくれた。彼女のボスはドクター篠遠《しのとお》。半世紀以上にもわたってここを根城に太平洋を渡り歩いてきた研究者だ。いや、探検家と言った方が適切かもしれない。ぼくは十数年前にとある雑誌対談でお会いして以来、有形無形に篠遠先生にアドバイスをいただいてきた。ずいぶんと高齢になられたが、現在もバリバリの現役で、タヒチや日本を往復するだけでなく、ときには洞窟調査を行ったり、岩山を登ったりもする。人類学者というより探検家のイメージが強いのはそんなところにもある。

アシスタントに続いて窓口を通り抜ける。ひとつしかない入場口には入館を待つ長い列ができていた。入場料を払いながら長話をする人がいても列に並ぶ人たちはいらだつ様子もなく、待ち時間をそれなりに楽しんでいるように見える。こんなシーンをハワイではよく見かける。空港の入管から町のアイスクリーム屋に至るまで、待たせる側は膨れ上がる列に対応しようという気はあまりないのだ。いらいらするタイプの連中は、非文明人だと思っているフシさえある。いつかは順番が来るのだからということなのだろうけど、この辺の温度差はハワイと日本との間にはずいぶんある気がする。

この日に限らず、ホノルルではいつもビショップ博物館を訪れる。理由はいくつかあるけれど、なによりもドクター篠遠と会いたいからだ。知的好奇心はつねに全開の人なので、どんな話にも柔軟に対応し、こちらの期待を超えて興味深い話を披露してくれる。実は最初の対談よりずいぶん以前に先生には会っている。いまから20年ほど前、ハワイ島のヒロで行われた洞窟の国際学会で篠遠先生の講演があった。ある洞窟の壁面にペトログリフが見つかった。ペトログリフとは鋭利な石で溶岩の表面を削り取って描く絵のようなもので、線画が基本なのだけど、先生が見たものは肉づけされた、比較的複雑な絵だったという。そのとき足元の岩の陰に別の絵があるのに気づいて岩を取り除いた。するとそこには目の高さにある絵よりはシンプルなペトログリフがあった。溶岩の洞窟は、ものによっては一度空いた空間にその後の噴火で流れ出した溶岩が押し寄せ、次々と床面を覆うことがある。篠遠先生

左／篠遠喜彦氏と研究室　右／ペトログリフ

の説は、目の高さに新しい手法のペトログリフがあって、足元にそれよりは幾分古いペトログリフがあるのなら、床のさらに下にはもっと原始的な絵があるはずだというものだった。この推論に基づき、後日洞窟床面の岩をいくつか動かしたところ、その下からさらに古い時代のペトログリフが見つかったのだった。

探検とは体を使ったゲームのように見えるけれど、実は頭を使ったゲームなのだ。推論が何よりも大切で、それまでの経験が知識をどのように活かすかで探検の成果は変わる。そこが冒険との違いとも言えるところだと、ぼくは思っている。

この講演をきっかけにハワイにおけるぼくの洞窟調査がはじまった。それからの数年間に多くの洞窟を発見し、測量調査を行ったが、遺跡の発見までには至らなかった。

あるとき、ハワイ島南部で洞窟調査を行っていた友人から遺跡発見の連絡を受けた。彼の許可を得て木炭の一部を日本の大学に持ち帰り、放射性年代測定を行ってもらうと、担当の教授から少なく見積もっても700年以上前のものだという報告を受けた。これが本当であればハワイ史そのものが書き換えられるような一大発見だった。すぐにこの結果をホノルルの篠遠先生に伝えたところ、すぐに洞窟へ行きましょうと言われた。そこで翌月にハワイ島へ戻り、現地で先生と合流して洞窟を訪れた。高齢の先生は当然、洞窟の手前で待機と思っていたら、なんと持参した杖を器用に扱いながら垂直に近い急傾斜をすたすたと降りてくるではないか。作家の荒俣宏さんが先生を和製インディ・ジョーンズと評したのがよくわかる気がした。ドクター篠遠は太平洋のあらゆる怪しい場所を訪れて調査をし続けてきたが、当然ながら危ない目にも遭っている。危険と安全の境界線をしっかり認識しているのだろう。

先生のアシスタントが研究室の手前にある厚い鉄扉を開けると、見慣れた廊下の景色が目に飛び込んできた。

何気なく置かれた資料のひとつひとつに深く長い物語があるのだ。博物館に展示された資料や、その数百倍もある保管資料のすべてにもまた長い物語がある。資料はものでしかないが、ものたちが語りかけてくるような感覚に襲われるのは、途方もない時間の集積がこの空間にあるからに違いない。

ぼくが特殊な場所への立ち入りや、さまざまな文化人とつながりを持つことができた裏には、大なり小なり先生の協力があった。ドクター篠遠のオフィスを含む研究棟は博物館の裏手にあって、出版局やコンピュータルーム、資料室など、さまざまなセクションが狭い空間に立ち並んでいる。部屋から押し出され、通路にうず高く積まれた資料を見上げていると、時計が忙しく逆回りを始め、歴史をさかのぼっているような錯覚に襲われる。

博物館のメインホールともいうべきハワイアン・ホールは2010年になってリニューアルされ、今日風の体験型展示が多くなったけれど、展示室と展示室との間に関連性が薄いので、全体を掌握するには複雑過ぎるのが、いまなお課題と言えるだろう。とはいえ、ハワイアン・ホールを含む各館を回れば、太平洋に広く点在するポリネシア地域の自然と文化に関するそれなりの理解は得られるはずだ。

展示を補足するのは、フラやハワイアンキルト、レイメイキングといった体験講座で、施設の周囲に植えられた植物にもハワイの自然と文化を理解する仕掛けが凝らされている。重要なものに絞って体験しても2日はかかることを考えると、限られたハワイ滞在ではハードルが高いけれど、それでも絶対訪れる価値はある。

ドアを開けるといつもの笑顔が机の向こうにあった。今日はドクター篠遠のどんな冒険話を聞かせてもらえるだろうか。

左上／クー（神）の木像（キイ）　左下／ウリーウリー（マラカスに似た楽器）　中／大首長（アリイ・ヌイ）が身にまとう、鳥の羽根で作られたマント　右／博物館のメインホール（ハワイアンホール）で行われる催し

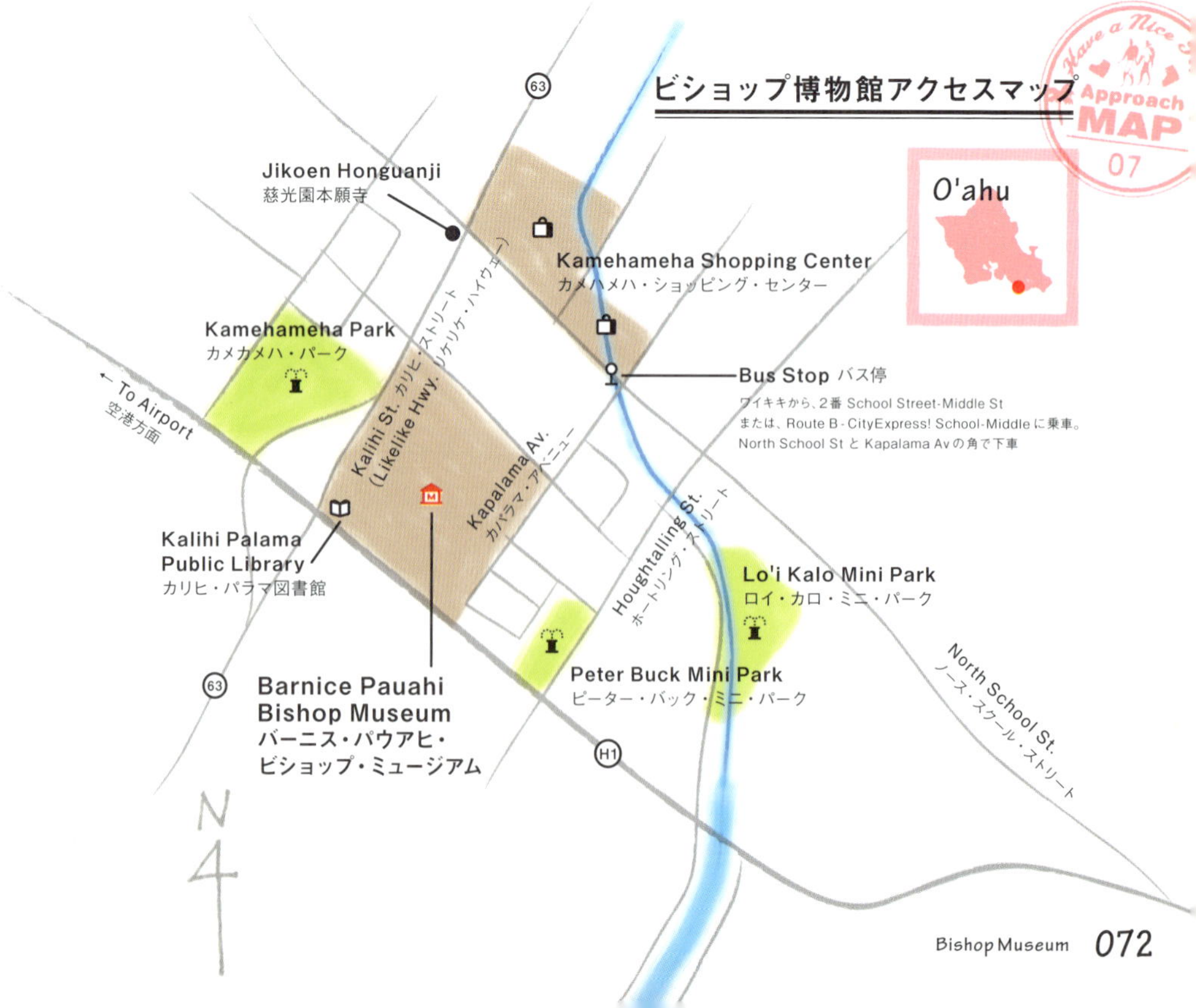

ローカルフードざんまい

コーヒー・ロード

✿コナ・コーヒーの起源

その日、ハワイ島の西海岸のカイルア・コナで少し遅めの食事を摂ったあと、州道11号線を南下してキャプテン・クックの町へ向かった。9時を過ぎたというのにまだラッシュが続いていて、反対車線の、コナ方面に向かう車の列は尽きることがない。カイルア・コナの人口は増える一方で渋滞はひどくなるばかりだ。州は道の拡幅工事を行っているけれど、ハワイの道路工事は、日本なら1週間で行うところを1年かけるような土地柄なので、遅々として進まない。ただ、抜けるような青空と、白く輝く綿雲が頭上を覆っているせいか、渋滞の中でもどことなくのどかさを感じてしまう。

カハルウからケアウホウを過ぎてケアラケクアまで来るとさすがに車の列も途絶え、アップダウンを繰り返す道の両側には緑のカーペットが目立ちはじめる。コーヒー・ロードに入ったのだ。道の右手には、眼下彼方に光り輝く大きな湾が見えはじめる。キャプテン・クックが殺されたケアラケクア湾だ。湾の周辺はキャプテン・クックという町で、少し手前で通過した集落がケアラケクア。初めてここを訪れる者には少し紛らわしい。

サウス・コナ地区にはフアラライの山麓からマウナ・ロアの山麓にかけて帯状に緑地が広がる。ハワイが世界に誇るコナ・コーヒー農園のテリトリーだ。周辺には500を超える農園があって、みな同一種のコーヒーを栽培している。

コーヒーノキはアカネ科のコーヒー属で多くの種があるけれど、なかでもアラビカ種、ロブスタ種、リベリカ種の3種がよく知られる。コナ・コーヒーはこのうちのアラビカ種を原種とするティピカ亜種の植物で、樹高は4メートルから7メートルほど。農園では木の剪定を行ない、収穫に都合のよい樹高2メートルから3メートルほどに高さを調整している。コーヒーノキは日陰を好む。だから溶岩地帯のような陽射しが注ぐところでは育たない。寒暖の差がある冷涼な気候と、規則的な雨が必要となる。こうした環境を満たす土地が、ハワイ島西岸の標高300メートルから800メートルに長く伸びる南北のベルト地帯なのだ。

かつては、街道沿いにいくつもオープンハウス・スタイルの喫茶店があった。どこもコーヒー農園が経営していて、味が気に入ればその場でコーヒー豆を買うこともできた。新しい店もなくはないけれど、その数はずいぶん減ってしまって今は少し寂しい。豆は農園ごとに特徴があるから、眼下に続くコーヒー農園の、濃い緑色のカーペットを眺めながら心ゆくまで香りを味わうひとときはとても贅沢な体験だった。

ハワイに最初のコーヒーノキが植えられたのは1824年のことだ。病に倒れ、ロンドンで急逝したカメハメハ二世と女王の亡骸を運ぶため、イギリスの軍艦に乗船したオアフ島知事のボキは、帰途、ブラジルのリオデジャネイロに寄港した際に、農学者だったジョン・ウイルキンソンとともにこの地からコーヒー豆を持ち帰った。これが今日のコナ・コーヒーの起源となる。このコーヒーはオアフ島のコオラウ山脈の麓にあたるマノア渓谷に植えられたが、はかばかしい結果は得られなかった。

1828年、米国のキリスト教宣教師サムエル・ラグルスがマノアの原木をコナに持ち帰った。当初は鑑賞

グリーンウェル農園のコーヒー畑（ハワイ島ケアラケクア）

の目的だったようだ。その後、この地に入植した白人たちによって、この原木から採取した豆を元に、コナ周辺でのコーヒー栽培が始まる。当初は、貨幣経済の導入など、急速な社会生活の変化に困窮していた先住のハワイ人たちの一部も、タロイモ栽培と並行してコーヒー栽培を行った。島の人たちはコーヒー栽培に将来を賭けていたのだ。

ケアラケクアの町とキャプテン・クックの町の境界にグリーンウェル農園がある。コーヒー・ベルトにある500ほどある農園のなかでもかなり規模が大きく、品質にも定評がある。しかしどこの農園もそうなのだけど、経営は万全ではないから観光客相手の商売を行うところが多い。グリーンウェルもそのひとつで、農園内にコーヒーや関連グッズの販売コーナーを設けて、ガイドツアーも行っている。そこまでやるのだからしっかり宣伝をすればいいのに、街道沿いには小さな看板がひとつあるだけ。手前の建物は農園を覆い隠すように建ち、農園名どころか文字ひとつない。この商売気のなさというか、名門農園という育ちの良さがグリーンウェルの特徴とも言える。

園内には樹高が2メートルから3メートルほどのコーヒーノキが整然と植えられている。その一画に、樹高1メートルほどの小木が30本ほどある。これらは1900年に初代のヘンリー・グリーンウェルが植えた木で、樹齢は111年とのこと。さすがに全盛期は過ぎているけれど、いまでもしっかり実をつける。農園に広がるコーヒーノキはすべてこれらの原木の子孫なのだ。ここの豆の特徴は主張しすぎないこと。煎りたてのコーヒーはとてもあっさりしていて煎茶のような味わいがある。

農園の奥にある倉庫に栽培用のプランターがあってコーヒーの種子が植えられていた。その意外な種付けを見て驚いてしまった。種子は土の上にちょこんと乗せられているだけ。種子の、地面に接した面から根が生え、コーヒー豆を載せたままどんどん上に伸びていくのだ。何も言われなかったら冗談かと思うに違いない。その小さな豆から成木にするまでには時間も労力も必要なため、挿し木の方法でも栽培されている。

順調に生産量を増やしていったコーヒー産業だったが、1850年代には干ばつやウィルスなどの寄生によって農園の廃業が相次ぎ、一時は全島に広

左／芽を伸ばしはじめたコーヒーノキ　右／グリーンウェル農園のコーヒー販売所

がっていた農園もコナとハマクアを残すのみとなった。そんななか、ハワイ島に滞在していたコナ・コーヒーをこよなく愛した作家のマーク・トゥエイン（当時はサミュエル・クレメンスという本名で新聞記者をしていた）は、本国の新聞などでしばしばコナ・コーヒーを紹介した。アメリカ本土でハワイのコーヒーが注目されたのは彼の功績もあるはずだ。

１８８０年代に入ると砂糖の需要が増え、コーヒー農園をサトウキビ農園に変える農家が激増した。この頃からサトウキビ産業が成長しはじめたこともあり、わずかに残されたコーヒー農園も島内で消費される程度の規模と知名度しか持たなかった。

１８９０年代に入るとコーヒーの市場価格が暴騰し、最初のコーヒー栽培ブームを迎えたものの、20世紀前夜の１８９９年に過剰供給のせいで価格が暴落してしまう。砂糖の価格高騰もあって、再びサトウキビ産業が注目されると、コーヒー農園はまたも経営の危機を迎えてしまった。ハワイのコーヒー農園は国際的な価格競争に対応しきれず、次第に経営が厳しくなっていったのだった。やがて白人経営者たちは作業の大半を、評判のよい日系人にまかせるようになる。サトウキビ労働に耐えきれずに、逃げだしてコナに移り住み、コーヒー農園に雇われていた日本人労働者が少なからずいたのだ。その結果、いまではコナのコーヒー農園の実に8割が日系人の運営となっている。

ウチダ・ファームやクニタケ・ファームなど、多くの日系人農家の努力でコーヒー農園の経営は次第に回復したものの、その後も2度に及ぶ大戦や朝鮮戦争などでコーヒーの価格は高騰と下落を繰り返した。また、粗悪品にコナ・コーヒーの名前が付けられるということもあって、品質の確立も大変だった。いくつもの試練を乗り越えたすえ、コナ・コーヒーは１９９８年に州で法制化されて、ようやくブランドとして確立されるようになった。

コーヒーの小さな白い花はジャスミンに似た甘い香りを放つ。花は春先に一斉に開き、遠目に雪をかぶったようにみえるので、コナ・スノーとかスノー・ブロッサムとも呼ばれる。この可愛らしい花も2~3日でしぼんでしまうけれど、ハワイ島ならではの景観なのだ。コーヒーチェリーとも呼ばれる、熟した赤い果実は市場に出回ることはないけれどサクランボよりもおいしいとぼくは思う。

豆の収穫は9月から翌年2月にかけて行われる。コーヒーを大量生産する農園では収穫を機械に頼るところもあるけれど、コナ・コーヒーはいまも手摘みが主流だ。収穫した実は表皮を剥いたあと、16時間前後、水に浸け、その後に天日で乾燥させる。毎日夕刻に到来する雨の時間帯には移動式の屋根で豆を覆う。豆を乾燥させる棚を、ハワイではホシダナというのだけど、これは干し棚に由来する。ちなみに木から実を収穫するとき、枝にひっかける鉤状の竿はカギ(鉤)と呼ばれ、現在もコナのコーヒー農園で用いられている。日系人がコーヒー産業の礎を築いたこともあって、コーヒー産業には日本語や日本的な慣習がまだいくつも根づいているのだ。かつては焙煎を済ませた豆を麻袋に入れ、それをロバに乗せてカイルア港やナポオポオの港まで運んだ。蒸気船に乗せてサン・フランシスコまで運ばれたのだ。当時のコナ・コーヒーは今以上に高級品で、限られた人しか口にできないものだったという。

グリーンウェル農園を一通り見て回ったあと、売店に戻ってコーヒーをもらう。ここで最上級のプライベート・リザーブは、ハワイ州が定めるエクストラファンシーのグレードに相当する。コーヒーには品質表示があって、ハワイでは最上級のエクストラファンシー(スクリーン#19)、ファンシー(スクリーン#18)、ナンバー1（スクリーン#17〜16）、さらに、プライム、スリーエックスなどのグレードがある。このうち、コナ・コーヒーの名前を付けることができるのはナンバー1までに限られる。

1本のコーヒーノキからは3キロから5キロの果実が採れるけれど、これを精製してコーヒー豆にすると5分の1程度にしかならない。カップ1杯分のコーヒーを作るためには、17粒から18粒の豆が必要で、コーヒーノキになる実は平均3000個程度だから、カップ150杯ほどしか採れない計算になる。意外に手間がかかるのだ。

ハワイではマウイ・コーヒーやカウアイ・コーヒー、それにオアフ島のワイアルア・コーヒーなども人気がある。土地それぞれの個性があるし、その日の気分や体調によっても、コーヒーの満足度は変わる。ハワイでは、今日はどの豆をいれようかという、贅沢な悩みが続くのだ。

左上／コーヒーの花　左下／完熟したコーヒーの実　右／びっしりと実をつけたコーヒーノキ

左／試飲用の各種コーヒー　右上／実の色は生長の時期によってさまざまに変化する　右下／乾燥させたコーヒー豆

コーヒー・ロードアクセスマップ

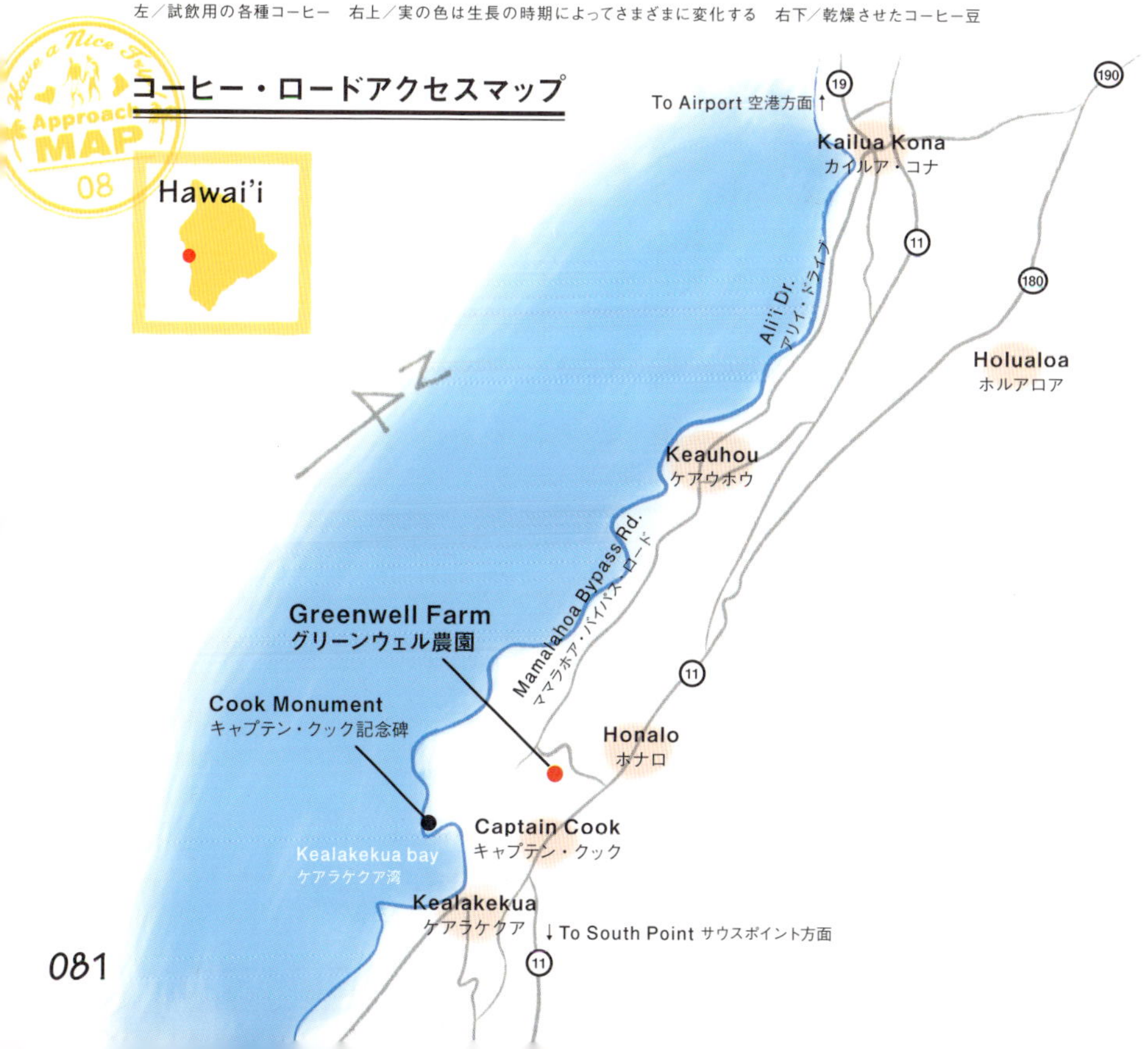

タロイモとエコな文化

タロイモの道

カウアイ島の北海岸をどこまでも走り、ハナレイの町を過ぎるとハウの森に入る。朝にクリーム色の花をつけ、夕暮れ時には燃えるようなオレンジ色に変わるハウの並木が防波堤のようにどこまでも続く。ハナレイとハウの森の境目には小さな展望台があって、ぼくはたいていここから眼の前に広がる緑一色の景色を少しの間眺める。連なる山々の間に驚くほど広い平地が広がり、遠くの山の麓まで一面に水田と湿地帯が広がっている。植えられているのが稲ではなくタロイモであることを除けば、日本の農村風景とそれほど違いはない。ハワイの先住民文化もまた水田からはじまったのだと思うと、親しみのようなものがじんわりと湧いてくる。

キャプテン・クックがハワイを訪れた18世紀末、ハワイには300を越えるタロイモの品種があったと言われる。島の歴史のなかで改良が続けられた結果なのだけど、品種の多さの背景にはアフプアアというハワイ独自の文化があった。アフプアアは、人々が暮らす最小単位の自治体で、かつてのハワイ諸島にはこのような領地（集落）がピザを細かく切り分けたように、島の中心にある山から海岸まで細長い三角の形に切り分けられて広がっていた。人々は自分たちの土地のなかですべてを営まなければならなかったので、長い歴史のなかで隣の領地とは異なる品種を作り出す結果となった。

ハワイ名をカロと呼ぶタロイモは、サモアやタヒチでもタロと呼ばれていて、ポリネシアに広く分布する。タロイモをハワイ諸島に持ちこんだのは初期に入植したマルケサスの人々と言われるけれど、マルケサスの人々の主食はパンノキで、タロイモではなかった。マルケサスからの入植から数百年後に、今度はタヒチから大規模な移住があってハワイ諸島の最大集団となった。彼らの主食はタロイモだったから、ハワイの食文化はタヒチの食文化が基本にあると言えそうだ。

タロイモを栽培する水田から出た使用済みの用水は、そのまま海へ流されることはなく、排水路の手前に砂山を作り、そのなかを通すことで濾過させた。アフプアアは山から海に向かって広がる細長い三角形のような土地なので自分たちに与えられた海岸の幅も狭く、海水が汚染して漁に影響が出るのを防ぐための手法だった。必要に迫られてのことではあるけれど、アフプアアの文化は結果的に環境リサイクル型の生活の原型とも言えるものになっている。


ハナレイの町では2年に一度、タロ・フェスティバルが開かれる。ハワイのタロイモ文化を知ってもらうためのもので、土地の人たちだけでなく観光客もOKだったから、一度参加したことがある。ハワイではどこでもそうなのだけど、イベントの半分はおしゃべりと言っていい。狭い島社会だから必ず知人と顔を合わせる。そこで積もる話もそうでない話も、延々と続くのだ。新参者はそんな体験をいくつも重ねて土地の人たちとハートが通じるようになるのだと思う。

ハナレイの町の少し先にワイパーという施設がある。ここではタロイモ水田や養殖池など、ハワイの伝統文

ハナレイのタロイモ水田

化を復興していて、土地の人たちに体験学習させている。ぼくも参加したことがあって、最初に体験したのはタロイモ水田にいる害虫の駆除だった。アフリカマイマイという大きなカタツムリとそのタマゴがタロイモの茎や葉につくのを駆除するのだ。親もタマゴも結構グロテスクだし、かなり大きい。おまけに水田にはヒルもいる。多くの人にハワイの文化を知ってもらうにはたいせつな作業の一貫だけど、あらかじめ知らされたら、たいていの人は尻込みするだろうなと思いながらの作業だった。

タロイモの草丈は0・5メートルから1・0メートル、栽培には清冽な水が必要なため、土地を流れる川の上流部にロイ（水田）を作る。数は少ないけれど畑での栽培も行われた。日照りや渇水などで飢饉が起きたときの緊急用として栽培されるのだ。タロイモの成長は水上部分（葉と茎）が最大になるときが収穫時ではない。葉が成長しきると栄養は泥のなかの根茎に蓄えられ、徐々に肥大化する。葉と茎が全盛時の半分ほどの背丈に萎んだ頃、根茎は最大となり、ようやく収穫されるのだ。根茎の上の部分をカットすると、残った葉と茎はまた水中の泥の中に戻す。こうするだけでまた新しいイモが育つのだ。収穫しては挿し戻すということを10世代ほど繰り返すと、根茎（カロ）の成長力は衰えはじめる。そのときは、根茎の周囲につく小さな根茎（オハー）を切り取って新たに植える。親株に対する子株という意味で子ども（ケイキ）とも呼ばれる。このオハーが転じてオハナ（家族）という言葉が生まれたのだけど、この言葉が生まれる背景にはもうひとつ、重要な意味がある。

遠い昔、空の神ワーケアと、陸の女神パパとの間に子どもが授かった。けれども死産だったため、彼らは赤ん坊にハーロアという名前をつけて亡骸を地中深くに埋めてやった。するとそこから芽が出てタロイモが育ちはじめた。その後、彼らに人間の先祖となる赤ん坊が授かり、その子にもハー

左／タロイモを収穫する　右上／収穫したタロイモ　下右／ルアウと呼ばれるタロイモの葉　下左／カットしたタロイモの根茎の断面

ロアという名前をつけた。このことからハワイでは、カロと人間は兄弟の関係にあるという文化が創られたのだった。

ちなみに、今日、ホテルなどで開催されるルアウ(ルーアウ)というディナーパーティーは、タロイモの葉が語源になっている。伝統的な祝宴では、料理はたいていタロイモの葉に盛られたからだ。タロイモの各部位にはそこから派生したさまざまなハワイ語があって、タロイモは食にとどまらず、ハワイの文化に重要不可欠な存在だった。

ハワイの完全食・ポイ

ポリネシアの島々では、タロイモはサツマイモのように蒸して食べるのが一般的なのだけど、ハワイでは蒸したイモに水を混ぜ合わせながらこねてペースト状にして食べる。これはポイと呼ばれ、いまでも主食のひとつとして食べられている。ちなみに、ポイの原料はタロイモとは限らない。ペースト状になったものはみなポイと呼ばれるから、サツマイモ(ウアラ)やパンノキの実(ウル)をペースト状にしたものもポイだ。ポイを作る体験は、ワイパーでも行っている。最初に、水田からタロイモを収穫して水洗いしてから蒸してやる。いまは手軽にガスコンロと鍋を使うけれど、昔は地中に掘った穴に葉を敷きつめてそこに収穫したイモを並べ、さらに葉を敷きつめたあとに土をかぶせ、その上で火を焚くといった手間のかかる作業をした。この天然のオーブンはハワイ語でイムと呼ばれている。

蒸したタロイモを水の中に浸けておくと表皮が柔らかくなるので、これを指の腹を使ってやさしく剥いてやってからもう一度軽く水洗いをする。次に、まな板のような木皿（パパ・クイ・アイ）に乗せ、少しずつ水をかけてやりながら小さな石の塊（ポーハク・クイ・アイ）で潰していく。水の割合が多すぎると水っぽくなるし、反対にまったく水を入れないと餅のような感触になり、いろいろな食感を楽しめる。

タロイモは神々が創り出した神聖な食べものなので、昔の人々は家族だけでなく、そこにいる人たちすべてとポイを分け合った。タロイモには首長（アリイ）しか食べられない品種もあり、そのようなタロイモは水田の周囲に石垣が築かれたらしい。男女は同じテーブルでタロイモを食べてはいけないというルール（カプ）もあった。

ポイは指ですくって食べるもので、水分の少ない固めのポイは1フィンガー（指ひとつ）、柔らかめのものは3フィンガー、その中間は2フィンガーと呼ばれる。人それぞれに個性はあるもので、なかにはかなり水増ししたものを用意する者もいる。水っぽいので指を3本使わないとすくい取れないことから、そのようなケチな人間を3フィンガーと呼んだりもする。ポイは葉も含めてビタミンが豊富で、ハワイでは赤ん坊の離乳食代わりにも用いられる。葉は料理の受け皿にするだけでなく、ラウラウなどの伝統料理の素材にもなるので、食用の葉を栽培するタロイモ水田もある。もちろん、今日では発酵させたり、焼いたり、茹でてそのまま食べるなど、レシピは数多い。スーパーに行くと、タロイモを原料にしたパンやチップス、アイスクリームなど、いろいろな加工食品にもお目にかかれる。とまあ、このように書くといいことずくめのようだけど、ポイは味は淡白だし、日が経つと酸味が強くなるので、一般的にはそれほど多くは食べられない。別のところにも書いたけれど、ぼくはときどき酸味の強いポイに挑戦する。こいつは手強いと内心思いつつも、バカな意地を張って頼むと、店のおばちゃんは手かげんなしに、日本の茶碗くらいのサイズになみなみと入れて持ってくる。そしてたいていぼくは途中でギブアップしてしまう。おばちゃんの目には「懲りない男だねえ」と書いてあったような気がする。

ワイパーでの帰り際、もう一度水田を見ておこうと外へ出ると、突然空が暗くなり、大粒の雨が降ってきた。雨は音を立てて水田に落ち、その向こうがかすむほど激しく降って、やはり何の兆しもなく止んですぐに青空が広がった。タロイモの葉には水滴が小さな水たまりを作っていた。水が小さな虫眼鏡のように葉の葉脈を浮き上がらせている。そこに小さな太陽が映し出されていた。タロイモは天と地を結びつける臍（ピコ）のようなものだと昔の人たちが考えたのがわかるような気がした。

左上／水を加えてこねたタロイモはポイと呼ばれる　左下／タロイモのハンバーガー　右／蒸したタロイモに水を加えながら練る

左／ハワイ州最大のタロイモ水田（カウアイ島ハナレイ） 右／伝統農法で作られるタロイモ水田（カウアイ島リマフリ）

タロイモの水田アクセスマップ

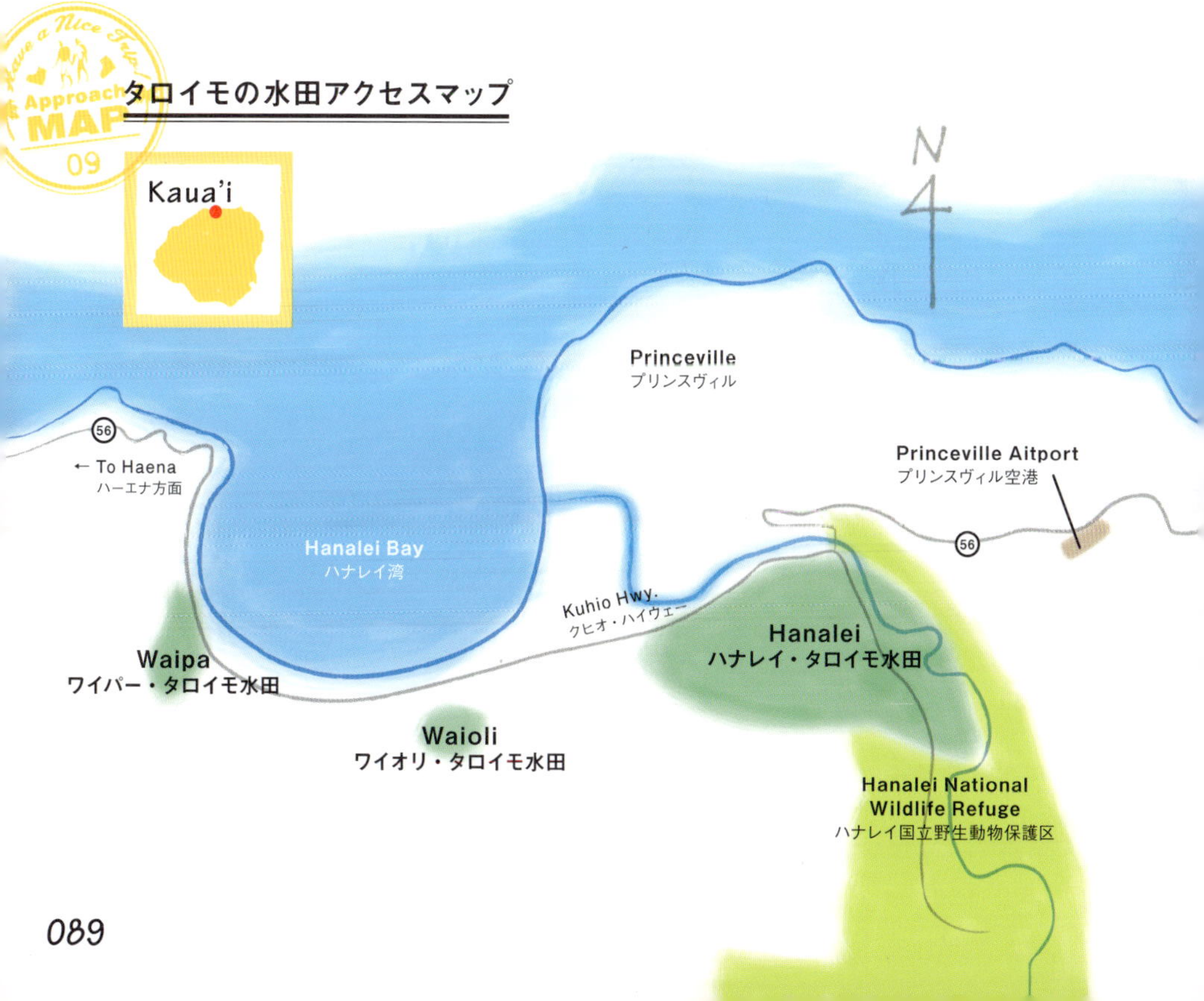

ローカルフードとこだわりのレシピ

ローカルフーズが生まれるまで

ハワイ滞在中のぼくの食事は、お手軽なプレート定食ということが多い。おいしいかまずいかという基準ではなく、味はそこそこでも雰囲気のよい店を選ぶ。うまいかと聞かれれば、う〜むと考えてしまうケースもあるけれど、昔に比べるとずいぶんおいしい店が増えた気がする。プレート定食はハワイの食文化において基本中の基本。名店と呼べるところもあれば、金を返せを言いたいところまで千差万別だけど、全体のレベルがあがったのだとすれば、それはたぶん味にうるさい日本人観光客にもまれて成長したからだとぼくは思っている。

ハワイのローカル料理というのは、労働者としてやって来た各国の移民がもたらした食文化の集合体で、それを、働き手の視点からハワイ風にアレンジしたものだ。働き手というところがポイントで、ハワイの主なローカル料理は肉体労働に汗を流す人たちにとって都合のよい形に変化していったと言っていい。カロリーが高く、故郷を彷彿とさせ、素早くできて価格も安いという共通項がある。その結果として生まれたのが、アジア系の焼き肉料理やスパムむすびであり、ポルトガル料理をルーツとするポーチュギーズ・スープやソーセージなのだ。さらにハワイの伝統料理であるタロイモのポイやカルア・ピッグ、各種のラウラウ、ピピカウラなどがこれに加わる。ハワイの人たちはさまざまな国のルーツを持つから、家庭では両親や祖父母の国の食文化に触れる。各国の伝統料理は少しずつハワイ風に味付けや見た目を変え、ハワイ独自の料理として定着していった。これらの「伝統」料理にはちょっとした特徴がある。「適当」と言えばいいだろうか。無責任だとか不誠実というニュアンスではなく、素材にも、食べることにも、食事の際のＴＰＯについても、うるさいルールを設けないという意味だ。ライスはアイスクリームのスクープを使えば便利だし、おにぎりはスパムを乗せてやれば握るより簡単だし、素材も手頃。結果として生まれたのがプレートランチなんだと思う。焼き肉とライス、マカロニサラダというように、各国の料理を寄せ集めたものがハワイのローカルなのだ。料理にこだわりが必要なときもあるけれど、自己主張も過ぎればストレスになる。ハワイにストレスは似合わない。ぼくはそんな風に考えている。

いくつか通いなれた店がある。仕事柄ひとりで動くことが多いので同じ店に行くことが多い。何年も通っていると、店主が覚えていてくれて「よく来たね」と言ってくれる。たとえ味がいまひとつの店であっても、ぼくにとってはその一声がなによりの調味料となる。ときに裏メニューを用意してくれることだってある。そして「また、来るね」と言ってお別れするのだけど、次に来るのはたぶん来年か、もしかすると2年後かもしれない。こちらはちょっとだけ感慨深くなるけれど、店主にとってはたくさん来る客のひとり。軽いハグで送り出してくれる。

突然味が変わっていたり、定番のメニューが消えていることもある。なじみの顔を見つけて安心する反面、なんで味が変わったのだろうと気になったりもする。作り手が替わったとか、食材が手に入らないということもあるのだろうけど、質が落ちたということを自覚していないケースもたまにはある。

左／ご飯とマカロニサラダと焼き肉の取り合わせはよく見られる　右上／アヒ（マグロ）のポケ（漬けのようなもの）を乗せたアヒ丼　右下／典型的なアメリカ風ハンバーガー・ランチ

日本の食卓になじみ深い豆腐や納豆、韓国のキムチ、ハワイにルーツを持つポケなど、付け合わせもさまざま。海外では専門店でしか買えないようなこうした食材も、ハワイではたいていのマーケットにあって、住人たちはみな日常的に消費している。

人種をまたいでこれらの食材が広く行き渡っている背景には、オハナというハワイの伝統文化がありそうだ。世界に門戸が開かれる以前のハワイではアフプアアと呼ばれる集落単位の暮らしが基本にあって、子どもたちにとって大人はだれもが親戚のおじさん、おばさんだったから、食事を摂ったり寝泊まりする家が必ずしも自宅である必要はなかった。その習慣が今日もある意味で残っていて、アンティーは単なるおばさんという意味ではなく、親しく交わる親戚であり、友人の親であり、祖母であり、教師であったりする。彼らを通じて各国の食文化が子どもたちに伝えられ、新しい世代はさらに国際色豊かになるのだ。

ハワイ・リージョナル・キュイジーヌ

かつてのハワイ料理はおいしいと言うには少し厳しいものがあったけれど、ハワイ・リージョナル・キュイジーヌ（ＨＲＣ）の登場でずいぶんと様変わりした。ＨＲＣとは、ハワイ地産の食材を使い、オリジナリティーとテイストを世界が納得できるレベルで提供するという食文化ムーブメントのひとつで、サム・チョイズがまだカイルア・コナの倉庫街にあったときにはそのおいしさに惚れ込んでよく食べに行ったものだ。いまのお勧めはアラン・ウォンかな？　チャーハンを基本にしたロコモコは少し甘いけれど、それがさり気なくハワイらしさを演出している。お代わり自由のプランテーションアイスティーもパイナップル味がとてもいい。

左上／ポーチュギーズスープ　左下／ポイとチキン・ラウラウのハワイ風プレート・ランチ　右上／スパムムスビ　右下／ロコモコ

ＨＲＣの発起人には先の２人の他にも、ロイ・ヤマグチやエイミー・オータなど総勢12名が参加した。彼らはハワイ州の農業支援を掲げ、キッチンと農家の橋渡しをするほか、食文化や自身のルーツを料理に反映させて、多民族社会のハワイの特徴をはっきりと打ち出している。ハワイの料理が明確に変わりだしたのはこの頃だと思う。料理が変わるということはハワイの農業が変わり、化学肥料からオーガニックへ、ジャンクフードからまだまだ気休め程度だとは思うけれど、栄養バランスを意識した料理へと舵を切りはじめたということだ。

日本料理は以前にも増して日本の店との格差を縮めている。合衆国本土で食べる日本料理の大半は白人向けに味付けを変えた「〜のようなもの」なのに対し、ハワイでは日本と変わらない料理を楽しめる。お勧めはアラモアナ・センター近くの「一力《いちりき》」と隣の「大漁《たいりょう》」かな？　一力は地元の人にも配慮した味付けで、大漁は日本の味そのもの。ものすごく古い演歌が流れるなか、流ちょうな日本語でオーダーを取る白人スタッフという取り合わせがおもしろい。さらに２軒隣のサイドストリート・インは大勢で行って楽しむには最高で、流行りのローカル料理を楽しめる。

ローカルフードは作り方だけじゃなく、食べ方にも地域性がある。ロコモコは一般の観光客によく知られた料理のひとつだけど、みな上品に手前からかきとって食べている。でもほんとうはしっかりかき混ぜて食べるもの。サイミンの場合は一緒にだされる小皿のマスタードにしょう油を加えてかき回し、すくった麺を少しだけこのタレにつけて食べるのが一般的。食べ方に約束はないけれど、試してみる価値はある。

ハワイにはカマアイナという制度がある。ハワイ在住の人は観光客よりも安い価格で食事や宿泊などを利用できるという制度だ。観光客向けではないのだから、もちろんぼくには適用されない。ただ、気になることがいくつかある。たとえばチップだ。ワイキキ周辺のレストランなどでは、あらかじめチップを加えた金額を請求されることが多い。チップはこちらの評価であって、強制されるものじゃない、という頑固なことを言いたいわけじゃない。日本人観光客のなかには、故意かうっかりかはわからないが、チップを置かない人も少なくないから、チップ込みの請求書を出すことは理解できなくもない。

ただ、ワイキキを訪れる観光客の半分以上はリピーターじゃないのだ。英語が不得意な人も多い。そのような人たちでも、アメリカではチップを置くものという知識は身についているので、食事を終えるとテーブルにチップを置く。ところがレシートにはしっかりgratuityとしてチップが含まれている。つまり二重払いしているのだ。それを教えてくれる店はもちろんあるし、悪徳の店は少ないと思いたいがどうだろう。

ぼくはチップがインクルードされていても、明らかにサービスが不満の場合は、「チップは含まれているの?」と聞く。すると、「ああ、ごめん、気にしないで」という返事が返ってくる。あなたの判断で置いてくれればいいという意味だ。満足していればレシートよりも多く、そうじゃないときは少なくおく。ときにおまけが付くこともある。相手がぼくをカマアイナと勘違いして、基本の金額を割引してくれるのだ。

いまは正直に答えているのでお許し願いたいが、そんなふてぶてしいことを何度かやったせいか、あるとき大恥をかいてしまった。仕事の打合せでワイキキの、とある高級ホテル内のレストランに行ったときのこと。このときボーイはぼくをカマアイナと勘違いし、割引の請求書をテーブルに置いていった。でも、そんなときに限って現金の持ち合わせがなく、財布にあるのは日本のカードだけだったりするのだ。

左上／サイミンと付け合わせのマスタード　左下／ローカル・レストラン（カウアイ島カパア）　右上／ハワイの伝統料理を食べさせる店　右下／ブルーベリーとホイップクリーム、イチゴジャムを乗せた巨大なパンケーキ

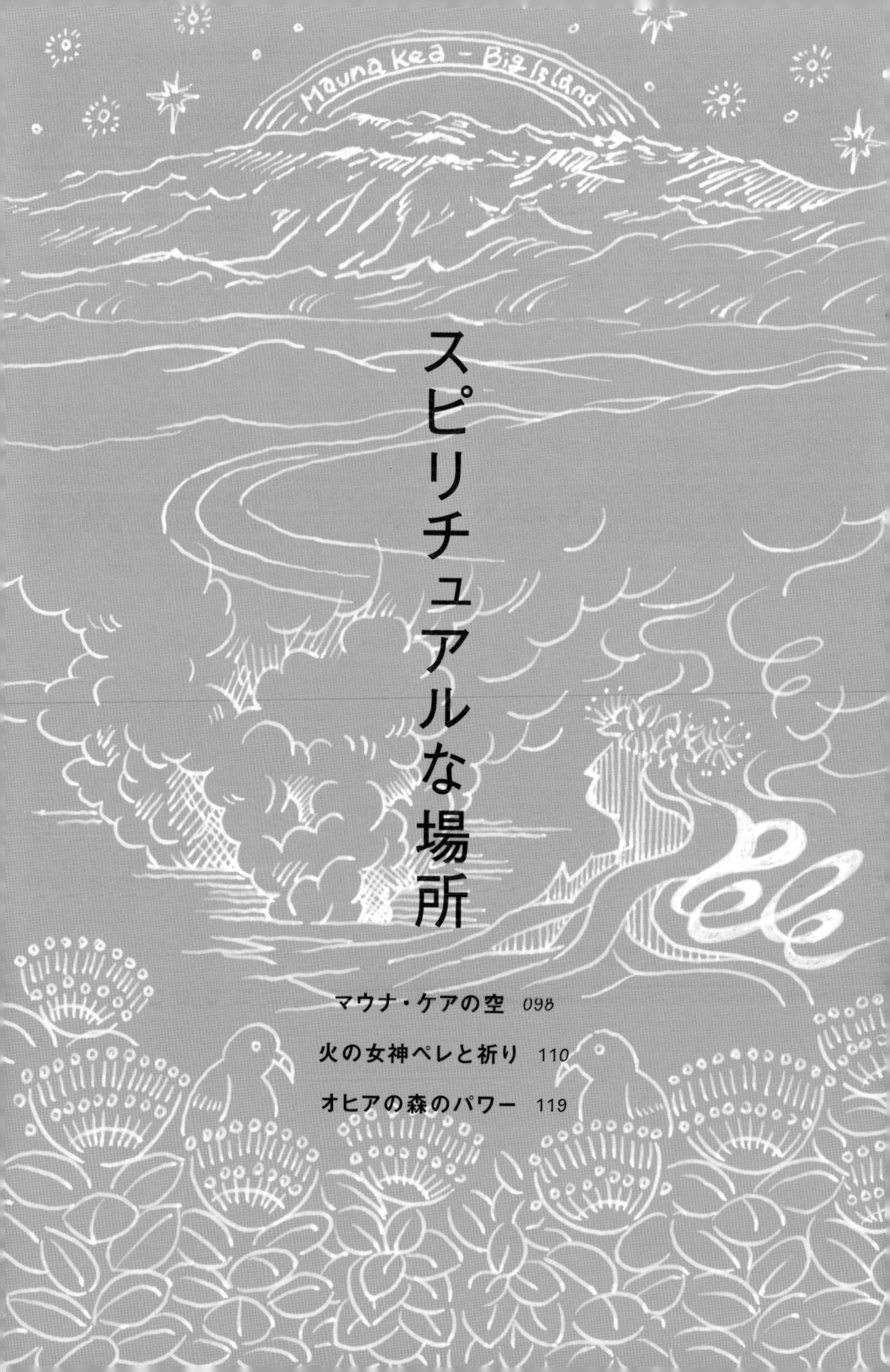

スピリチュアルな場所

マウナ・ケアの空

ハワイ島は他の島すべてを合わせたより大きいけれど、それでも四国の半分ほどの面積しかない。その小さな島にマウナ・ケアとマウナ・ロアという、４０００メートルを越える２つの高峰がそびえている。ずいぶん以前のことだけど、ずっと登りたいと思っていたハワイ最高峰のマウナ・ケアに登ることになった。

この山の頂に立つには、ほぼ同じ高さのマウナ・ロアよりも時間がかかる。標高２８００メートルのオニヅカ・ビジターセンター前から歩くのが一般的なのだけど、登りだけで7時間はみる必要がある。下山は5時間で済むとしても、頂上での滞在時間を含めると13時間ほどかかるから、明るいうちに戻るには午前5時の出発となる。そこで片道登山という変則的な計画にした。午前9時頃に登りはじめ、頂上で迎えの車と合流するのだ。頂上でサンセットを見ることができるし、最初の登山としては悪くない。

当日は朝5時に起きた。夏場は日が長いと言っても辺りはまだ薄暗い。けれど、ヒロ湾の彼方先にそびえるマウナ・ケアの山頂付近にはオレンジ色の光の輪ができていた。左手にはマウナ・ロアがマウナ・ケアの何倍もの裾野を広げて横たわっている。

マウナ・ケアはあまり雨が降らないが、それは標高２０００メートルより上の話で、ふたつの巨峰を縫って東西に走るサドル・ロードを登っていくと、たいていは雨雲のなかを通る。マウナ・ケア（ハワイ語で「白い山」の意味）は１００万年近く前に海底噴火をはじめ、30万年ほど前に海上に顔を出したと言われる。その後、

6、7万年前まで成長を続け、最後の噴火はいまから5000年ほど前のこと。それ以降の噴火の記録はない。一方のマウナ・ロアはいまも山頂のクレーターから噴煙を上げ、噴火はまだ続くと言われている。「静のマウナ・ケア」と「動のマウナ・ロア」と言うとわかりやすい。

先住のハワイ人は噴火を続けるマウナ・ロアに恐れおののき、この山には火の女神ペレが住んでいて、気にくわぬことがあると火を噴いたり溶岩を流すと信じていた。マウナ・ケアはつねに静寂を保って人々を安心させただけでなく、暮らしに必要なものを提供してくれたから、この山に住む雪の女神ポリアフは美しく冷静な性格を持つと信じられた。神話はいつだって歴史の証人なのだ。

標高2800メートルのオニヅカセンターではさまざまな登山情報を提供してくれる。ぼくはここで事前の確認をしてから、登山計画書を提出した。裏手にはギンケンソウなど、この地に固有の植物もある。頂上へと続く登山道の入口は、このオニヅカセンターを出て車道を少し登った左手にある。

最初に気づいたのは、結構息が切れるということだった。1キロも歩かないうちに早くもバテはじめている。3000メートル地点の空気は地上の3分の2ほどだから、疲労はすぐ肺や脚を襲う。ピッチを落として歩いたがかなり辛い。そのうち慣れるかという考えは甘く、登りはじめて30分ほどで最初の休みをとった。胸が苦しいということはなかったけれど、かなり脚に来る。それでも、苦しさを帳消しにしてくれるほどの充実感があった。眼下にはどこまでも雲海が広がっていて、自分のいるところが天界に浮かぶ島のようにみえる。高みへ移るにしたがって風が強くなるはずだけど、いまはまわりを静けさが支配する。ハワイのどのトレイルとも違う空間がここにはある。

左／マウナ・ケア山頂で雲海の上に上った月を見る　右／マウナ・ケアで見られる有害植物のビロウドモウズイカ

2000メートルの天空

マウナ・ケアでは海抜2000メートルほどの高度にたいてい雲海が広がっている。山頂付近はいつも風が強く、過去には風速70メートルを記録したこともある。でも、乾燥した空気と強風が大気中の塵などを吹き払うので、上空にはすばらしい視界が広がる。ところが、最近の地球温暖化の影響で、晴天率90％以上を誇っていた気象も雲行きが怪しくなっている。少しずつ晴天率は下がり、2、3年前の資料では75％ほどに落ちていた。地球温暖化の影響は、絶海の孤島であるハワイにまで及んでいるということなのだろう。

このマウナ・ケアには、世界11ヶ国の天文台が集まっているのだけど、晴天率が下がったことで、観測に支障も出ているそうだ。ちなみにマウナ・ケアにある「すばる」は日本の天文台だが、日本が自由に観測できるわけじゃない。マウナ・ケア

上／マウナ・ケア山頂の祭壇と雲海　下／サドル・ロードからマウナ・ロアを遠望する

はハワイの山なので、ハワイ大学にある程度の観測日が割り振られているし、他国にも観測日を提供している。もちろん日本がかなりの割合を使っているのだけど、気象変動の影響で観測に適さない日が増えた結果、日本の観測日をハワイ大学や他国へ追加で割り振ることを余儀なくされている。それでもたぐいまれなる澄んだ空気が、マウナ・ケアの上空に広がることに変わりはない。朝夕の太陽が金色に雲海を染め、オレンジ色から紫色、そして濃い藍色へと、天空への見事なグラデーションを作り出す。西方にはフアラライ山があり、さらに奥にはマウイ島のハレアカラ山が雲海から顔を出していて、天地創造の瞬間に立ち会っているようにさえ思える。

数分の休憩後、またゆっくりと歩きはじめる。周辺はビロウドモウズイカが点々と続く。日本では園芸店で人気のある花のひとつなのだけど、ここでは有害植物として駆除対象となっている。この植物だけでもやっかいなのに、山の東側にはハリエニシダがとんでもなく繁殖していて深刻な事態となっている。州の対応はいささか荒っぽい。ヘリコプターでかなり強い薬液を撒いているのだ。いろいろ考えての上なのだろうけど、この手荒い措置の影響は太古の昔からここに生きてきた在来の植物をも道連れにしてしまう。結果が出るのはまだ先。でも、たぶんこの試みは失敗するだろう。根絶は決してできないし、できなければまた同じ勢いで周囲の植物を呑みこんでいくに決まっているからだ。

標高を上げるにつれて植物が姿を消していく。鳥や虫たちの姿も見えなくなった。陽射しはさらに強く、頭上は濃い碧色で、雲ひとつない。神話の世界を身近に感じる。ハワイの先住民は天に近いところほど大きな力が働くと信じていた。いまいるところは特別の場所なのだということを、ぼくは五感全部で感じていた。周囲は岩と赤土が支配する荒涼とした風景となり、その無機質な世界に伸びる細い道を、ぼくはひたすら登り続けた。

気がつくと周りの石がふもとの溶岩とはずいぶん異なっているのに気づく。緻密で硬そうにみえるのだ。この一帯は氷河期の時代に万年雪があって、分厚い氷の下にあった溶岩は長い年月のなかで次第に押し固められ、火打ち石のように硬くなっていった。先住のハワイ人は4000メートル近くにあるこの場所までやって来て石を採取し、斧などの工具や武器を作ったのだ。このトレイルは昔からあったもので、フムウラと呼ばれている。フムウラとはジャスパー・ストーン（碧玉）のことなのだけど、名前にウラ（赤い）とあるようにマウナ・ケアでは赤色のジャスパー・ストーンを指している。溶岩は黒っぽいが、硬化した岩は赤く変色するので、そのように名づけたのだろう。

プウ・ケオネヘヘエという名の噴石丘を通り過ぎると、しばらくは変化の乏しい景観を歩くことになる。ケオネヘヘエとは「ヘヘエ（斜面）の形状をしたオネ（砂）」という意味で、砂の堆積した丘を意味する。つまりは噴石丘を表現したもので、大昔にそのような科学的性格を丘に命名したのだろうか。

すでに4000メートル近くに達しているはずなのに、降り注ぐ陽射しが暖かく感じる。雨が降らない土地だからひどく乾燥しているので、しっかり水分を補給しないとすぐに脱水症状になる。脚は相変わらず重いけれど安定していて、休まずに歩いていける。

空はまだ明るいが、陽は少しずつ傾いていく。やがて前方にプウ・ワイアウとプウ・ハウケアという名の大きな噴石丘が現れた。この噴石丘の裏手に湖があるのだ。謎の多い湖で、好奇心が少しだけピッチを早めた。

太古の昔、生命と水を司る神カーネは、マウナ・オ・ワーケア（マウナ・ケア）から4人の女神を創造した。雪と氷と寒さを司る女神ポリアフ、霧の女神リリノエ、カパ（樹皮から作る布）織りの名人であるカホウポカネ、そして湖の女神ワイアウ。4人の女神はワイアウ湖の水を飲むとさまざまな力を発揮したという。かつてこの湖は底なしと思われていたが、実際の深さは3メートル程度しかない。それでも神秘のベールは取れていないらしい。ほとんど降雨のない尾根上に位置するというのに、この湖は決して涸れることがないからだ。現代科学でも説明できていない現象だということが、オニヅカセンターの壁に貼られた案内書に書かれてあった。

陽がさらに傾いた。サンセットまではたぶん2時間ほどだろう。ワイアウは、湖というにはあまりに小さい。けれども、天にもっとも近いこの湖の水は、カーネの霊力が込められた神水として、人々に崇められてきた。湖のほとりで手を入れてみた。すくい取った水は、湖の濃い緑色ではなく、少し濁ったただの水のように思えた。水はそれほど冷たくはなく、掌のなかですぐに体温と一緒になった。

左／マウナ・ケア山頂と残雪　右／マウナ・ケア山頂に積もった氷雪

上／標高4000m付近にあるワイアウ湖と雲海　下／すばる望遠鏡（左）とツインドームのケック望遠鏡（右）

すばる天文台

空がオレンジ色になりはじめた。目の前に世界各国が建てた天文台が見えはじめる。少し車道を歩いて車止めまで登り、迎えの車を確認する。それから立ち止まることなく頂上を目指した。風が強くて体の芯まで冷える。気温は零度前後だけど、風が強く、体感温度はマイナス20度にもなる。残雪の残った最後の斜面を、足を滑らせながら登った。ほどなく小さな祭壇が現れ、そこが最高地点であることを教えてくれた。

天体観測を行うには晴天率が高いだけでなく、大気が安定していることが重要だ。標高4200メートルを超えるマウナ・ケア山頂の空気は薄く、星の光を受け取りやすい。また都合のよいことにハワイ島には大きな町がなく、最大の町であるヒロも雲海の下にあることが多いので、地上光の影響をほとんど受けることがない。加えて山頂まで車道があり、アクセスも悪くない。その上、ハワイ島は北緯20度という低緯度にあるので、全天の80%ほどを観察できるロケーションにある。北極星も南十字星も見ることができるし、すばるの名がつくプレアデス星団も、冬を通じて眺めることができる。

このようにマウナ・ケアには、たぐいまれな観測条件がそろっているので、世界各国が競ってここに天文台を建設してきた。1968年に建てられた最初の天文台は口径わずか60センチのハワイ大学の天体望遠鏡だが、その後、ハワイ大学の第2天文台やカナダ、フランス、イギリス、オランダ、オーストラリア、チリ、アルゼンチン、ブラジルなどが次々と巨大天文台を建設した。アメリカの威信をかけて建設されたジェミニ天文台には口径8.1メートルの望遠鏡が設置されている。その記録を破ったのが、口径8.2メートルの鏡を持つ日本のすばる天文台だった。アメリカはその後に口径10メートルにもなる2つの望遠鏡からなるケック天文台を建設しているけれど、この望遠鏡は単体ではなく、36個からなる六角形の鏡の集合体となっている。単体の鏡としては、いまもすばる天文台の望遠鏡が世界最大なのだ。ただし、これほど巨大になると、自らの重みで歪みが生じてしまい、高度な観測には耐えられない。すばるの主鏡には厚さを抑えた鏡が使われているものの、そのままではたわみが生じるので、アクチュエーターと呼ばれる電子制御された支え棒のようなものをレンズの下に261本も張り巡らせ、巨大なレンズの平面性をコントロールしている。その精度は関東平野を真っ平らにして最大誤差が1ミリ以内になるのと同じ、という途方もない数値なのだ。

すばる天文台は良好な視界と高い精度を得るために、天文台の形状を円柱状にしたり、温度差によって生じる気流を防ぐために建物内と外の気温を調整したり、さらには建物内の温度を完璧にするため、研究者といえども観測中には望遠鏡のある場所には入れないようにしたり、望遠鏡部分の施設をリニアモーターカーと同じ原理で磁気浮揚させて微細な振動を防いだりと、数え切れないほど多くの工夫や新技術が駆使されている。

すばる天文台の情報を管轄するヒロ山麓にある研究実験棟と、三鷹の国立天文台はネットで連結されていて、研究者はいずれの施設からもすばる天文台の情報を直接コントロールすることができる。

強い風に抗いながら来た道を振り返ると、彼方にすばる天文台があって、その先で陽が沈みかけていた。陽射しは雲海だけでなく天文台をも金色に染める。紫色の天空には早くも星の輝きが見えはじめていた。闇が降りると、空は星々で埋めつくされた。星であふれると言い換えてもいい。天の川は白い帯となり、星々は川のなかに浸かっているようにさえ思えるほどだった。

左／すばる天文台の内部と主鏡　右／マウナ・ケア3000メートル付近の登山道

サンセットを迎えるすばる天文台

マウナ・ケアの山頂からの車列が光の帯を作り、頭上には少しずつ星が現れはじめる

マウナ・ケアアクセスマップ

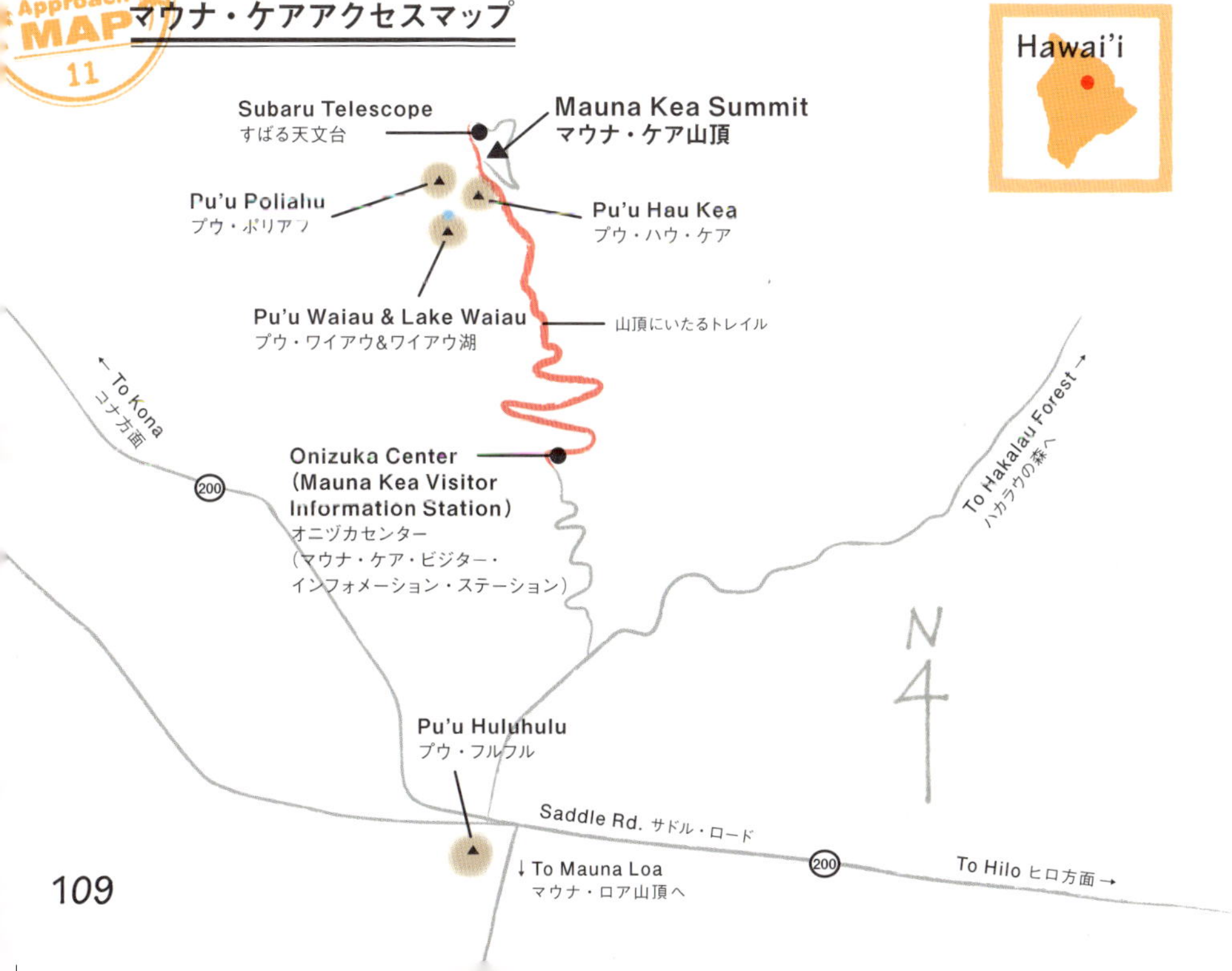

火の女神ペレと祈り

火山に魅了されたのはいつの頃だっただろう？　火山噴火の記録で世界に名の知れたカティアとモーリス・クラフト夫妻とたまたま情報交換させてもらったことがあり、彼らから火山の魅力を聞かされた。彼らは不幸にもその後の雲仙普賢岳の噴火で帰らぬ人となってしまったが、ぼくはハワイ島の南の海岸で流れる溶岩を間近に見たとき、彼らの思いを共有できたと思った。

ある年にハワイ島のヒロで、火山と洞窟の関係者が世界中から集まり国際的な洞窟会議が開催された。そこでぼくはハワイ島のまだ手つかずの状態にある洞窟の調査を依頼され、標高４０００メートルを超える高所で洞窟調査を行うことになった。この洞窟探検で、ぼくは圧倒的な溶岩の世界に魅了された。ぼくはハワイの火山には火の女神ペレが住みついていて、人々は多かれ少なかれ、彼女の強大なパワーを畏れながら暮らしている、ということを知るようになった。

火の神ペレの誕生

ハワイはタヒチやポリネシアから移住した人たちによって開拓され、独自の文化が創られてきた。なかでも火山に関わる信仰はハワイの文化を知る上でとても重要だ。１０００年以上も前の移住当時、ハワイ諸島はハワイ島とマウイ島で活発な火山活動が続いていた。そのため、人々は噴火の恐怖と背中合わせの暮らしを強いられることになる。突然のように流れ出す溶岩は、いつしか「火山には強大な力を持つ何かが存在する」という確信に変わっていった。火山とか溶岩を指すタヒチ語は「ペレ」と言う。地質を表す用語でしかなかったペレが、ハワイでは次第に意志とパワーを持った「何か」へと変化していく。それがやがて火の女神ペレとなり、ハワイ独自の火山信仰として定着していったのだ。ペレにまつわる神話は数多いけれど、どの逸話も直接間接に実際の噴火活動やハワイ社会がこうむった被害を伝えている。ペレの神話とは、ハワイの歴史と火山活動を伝えたものでもあるのだ。

洞窟の国際会議には博物館の関係者だけでなく、大学や国立公園のスタッフもやって来た。立場は異なるけれど、火山フリークという点ではみな同じだから、すぐに打ち解け、あれやこれやの話になる。ぼくはハワイの火山と溶岩洞窟に関するさまざまな情報をもらうことができた。先に書いたように現地の人たちはぼくが未知の洞窟に興味を持っていることを知ると、未調査地域を手がけてみないかと誘った。彼らが提案したのは、マウナ・ロアの3000メートル地点から山頂のカルデラまで。木1本生えていない広大な溶岩地帯だった。

現場に到着したとき、なぜこの辺の調査が手薄なのかすぐにわかった。標高3000メートルから4169メートル地帯は高山病にかかりやすいし、3300メートルより上は、関係者以外は車で登ることができないので、調査の前にまず装備を運び上げるのが重労働となる。それにカルデラ近くはまだ火山活動が収束していないので、ガスへの対策だってあるし、ほとんど氷点下だから冬山装備も欠かせない。最後まで調査の空白地域だったのは、そんな理由があったからだろう。

左／火山国立公園内のボルケーノハウスにある火の女神ペレの絵　右上／マウナ・ロア山頂に広がるモクアーヴェオヴェオ・カルデラ　右中／キラウエア・カルデラの内部にあるハレマウマウ・クレーター　右下／ペレの涙と呼ばれる溶岩の一種

ポリネシアの島々には、それぞれ人類の祖と呼ばれる人物がいる。ニュージーランドのマオリはパイケア、トンガはアホエイ、タヒチにはタハキがいる。ハワイにはハーロアがいるけれど、ポリネシアの他の島ほど重要な存在ではない。火の女神ペレはハーロアよりはるかに大きな影響力をハワイの文化に与えたからだ。もしハワイ諸島で活発な火山活動がなければ、ペレという女神自体が存在しなかったはずだ。神話によれば、ペレはタヒチからやって来たとされる。文字通りそこから来たと解釈してもいいけれど、タヒチは「故郷」とか「外国」というニュアンスもあるので、単にハワイの外からやって来たと解釈することもできる。「どこから来たか」というのは、「どこから来たことにすると彼らの歴史観にマッチするか」ということでもある。

それはともかく、ペレは兄のカモホアリイ

上／ハレマウマウ・クレーターに噴き出す熔岩と立ちのぼる噴煙　左下／黄色の火山ガスに覆われるキラウエアの溶岩地帯　右下／ハワイ島ヒロのカウマナ洞窟。手軽に探検気分を味わえる数少ない洞窟のひとつだ

や妹のヒイアカなど、多くの兄弟姉妹とともにハワイ諸島へやって来た。一行は最初にニイハウ島を訪れ、その後、カウアイ島、オアフ島、マウイ島と移り住むけれど、どの島も彼女は気に入らなかった。別の視点から言うなら、これらの島には活火山がなかったと言うこともできる。ペレとはそもそも活動している火山とか流れる溶岩という意味なのだから、これらの島は該当しなかったということだろう。ペレは最終的にハワイ島のキラウエアに落ち着いた。

1000年以上も昔のハワイ島では、今日とは較べものにならないほど大規模な噴火が続いていた。キラウエア火山だけでなく、マウナ・ロアやフアラライ山でも繰り返し噴火が起きて、流れ出した溶岩が集落や畑を焼き尽くしたはずだ。苦労して作り上げたものが一夜で失われることの恨みや怖れは、火の女神ペレの性格に見事に集約されている。彼女は気まぐれでヤキモチやき、普段は美しいがときに醜い老婆になり、欲しいものはなんでも奪い取る。それはまさしく火山の噴火活動そのものだと僕には思える。

マウナ・ロアへ調査に行く

おまえならできると、乗せられて開始したマウナ・ロアの調査だったけれど、思っていた以上にハードルは高かった。最初の年の調査では山頂まで行き着けず、標高4000メートル辺りでビバーク。おまけに何人かが高山病にかかってあえなく翌日に下山。3000メートル周辺の調査でお茶を濁した。このときの装備は滞在3日分でひとりあたり30キロほどだったので、翌年は装備を切り詰めて20キロほどに抑え、前年より早く出発した。すると実にあっけなく到着してしまった。そんなことを何年も繰り返して、調査はそれなりに成果を挙げた。でも一番の発見は、この島が火の女神ペレとともに生きているという、確かな感覚を持てたことかもしれない。火山は毎日その様相を変える。昨日出ていた噴煙が今日は止まる。でも穴の中には確かに煙が潜んでいて、深入りは危険だということを嗅覚で知る。この感覚は科学的なものじゃなく、どこか人間臭かった。『今日はそこまでにしておけ』『ここには入るな』『後悔するぞ』といった声にならない声が聞こえてくる気がした。もちろん幻聴が聞こえたわけじゃない。日々の漠然とした不安が少しずつ積み重なっていくと、どこかで折り合いをつけようとする気持ちが働く。それは迷信というより、語りかけに近かった。緊張ゆえだろうけど、『無事に終わらせてくれてありがとう』とか『今日も快調だね』といった、ちょっと危ない独り言に近い。それが続くと言葉は日常となり、力を持ちはじめる……。ペレはそんな心の中に誕生するのだと思えた。

マウナ・ロアの北側にはマウナ・ケアがあって、いつでもその全容が見える。ふたつの巨峰の間にはサドル・ロードという峠道が走り、道を挟んでこちら側は溶岩の世界、マウナ・ケア側は風化した岩石と赤土の世界だ。マウナ・ロアはいまも噴煙を上げ、いつ再噴火をはじめてもおかしくない状態だけど、マウナ・ケアは悠久の静寂に包まれているようにみえる。このイメージはもうひとつの神話を創り出した。

マウナ・ケアには雪の女神ポリアフの神話がある。彼女の下には、リリノエ、ワイアウ、カホウポカネの3姉妹がいて、マウナ・ケアを住みかにハワイ島を治めていた。島は平穏に見えたが、ときおり南のマウナ・ロアから火の女神ペレがポリアフに戦いをしかけてくる。ポリアフはその度に受けて立ち、ことごとくペレを追い払う。度重なる戦いにもかかわらず、ポリアフはペレをハワイ島から追い払うことはない。この神話が語るのは、ハワイ島では活発な火山活動が続き、土地での生活は楽ではないが、マウナ・ケアの山麓に広がる肥沃な土地が溶岩に浸食されることはない。ポリアフの神話は、火山活動は決してハワイ人の暮らしのすべてをもぎ取ることはできないのだということを物語っているのかもしれない。

マウナ・ロアの山頂にはモクアーヴェオヴェオと呼ばれるカルデラが広がる。巨大なキラウエア・カルデラに匹敵する大きさがあって、いまでもあちこちから噴煙を上げている。モクアーヴェオヴェオにはハワイ語で「赤一色の土地」という意味がある。ハワイに人が移り住んだ当時、このカルデラは真っ赤な溶岩に満たされていたに違いない。直径2キロを超える巨大カルデラが煮え立つ溶岩の湖を造り、それがときおり気まぐれに壁を乗りこえて地上に流れ下る。その恐怖と不安ゆえに、人々はふたりの、相反する性格の女神を創造したのだろう。

マウナ・ロア山頂の岩峰の間から沸き立つ噴煙を見ていると、人間の小ささを痛いほどに感じる。山頂には缶が置いてあり、そこに登頂ノートが

マウナ・ロアの3000メートル付近から眺めるさそり座付近の銀河

入っていて、来た人が代わる代わる記録を残している。最後のページにはこう書いてあった。

「やったぞ、登頂した！　ここに来るのがずっと夢だった。でも、辺りはもう暗い。今日中には降りられないだろう。テントも食糧もないのが不安だ。それに高山病も」。記録はそこで終わっていた。日付は1週間前。厳しい夜を過ごした彼にエールを送りたい。ぼくも彼の記録の下に自分の

海に流れ落ちる溶岩（ハワイ島カラパナ）

マウナ・ロアアクセスマップ

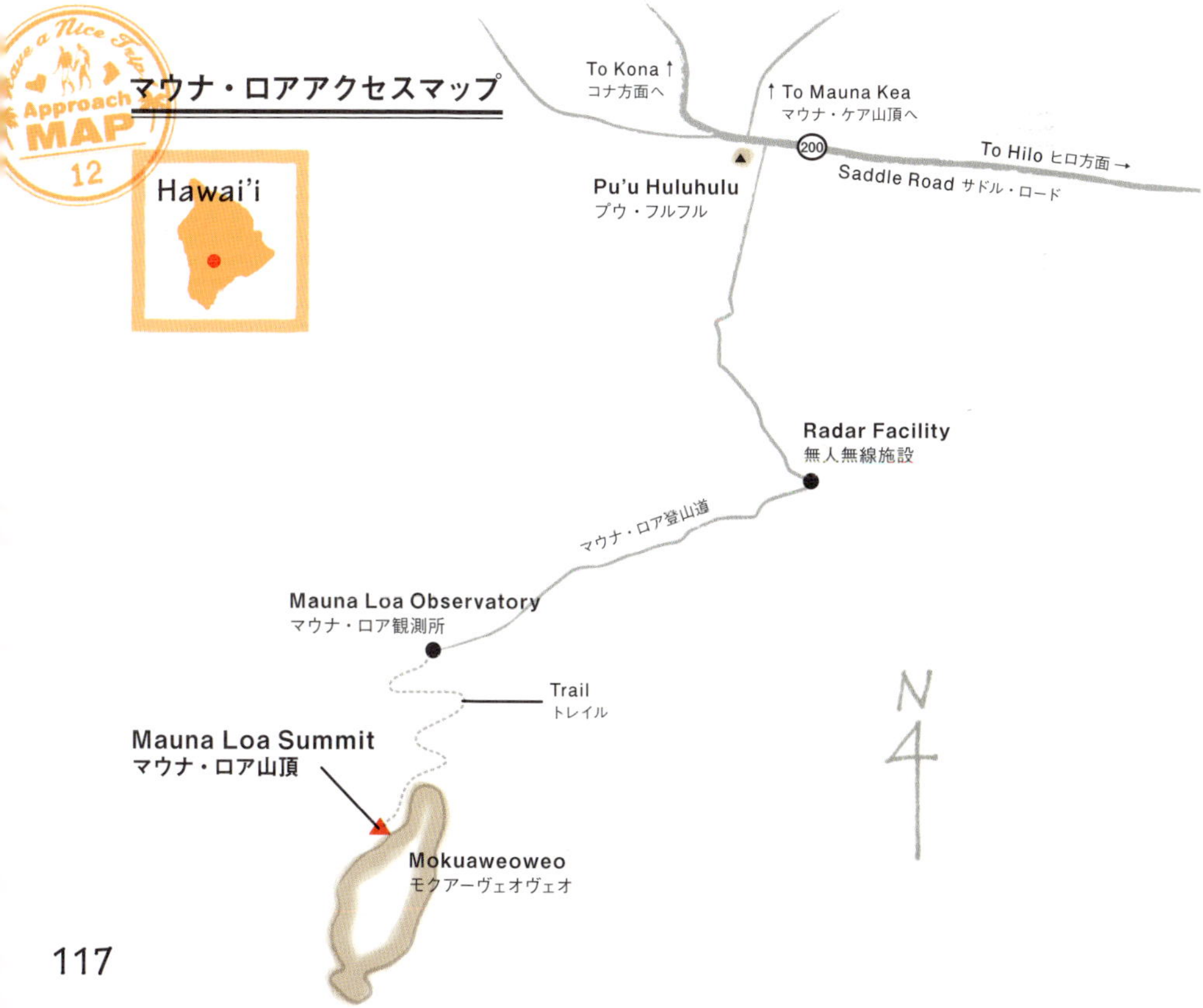

記録を書き加えた。４１６９メートルの高みに到達した者はみな同じ感覚に襲われたに違いない。彼がここまで来られたのも、ぼくがいまここにいるのも、ペレの導きがあったから？　この日、ぼくたちはちょっとしたハプニングから、１週間前の彼と同じように野宿を余儀なくされた。夕方から吹雪《ふぶ》きはじめて何も見えない中、近くの洞窟に入った。全員が入れなかったのでぼくは入口近くに腰かけ、目の前の黒い岩をじっと見続けた。少しうとうととしていたのかもしれない。気づくと雪はやみ、黒い岩が明るく照らし出されていた。光の条をたどって空を見上げると絵の具で塗りたくったような満天の星空があった。

オヒアの森のパワー

赤い花の存在

ハワイの植物のことをよく書くので、昔から花に強いと思われているようだけど、花の本を出す少し前まで、植物の知識はほとんどなかった。ぼくが植物にこだわるようになったのは、キラウエア火山にあった一輪の赤い花がきっかけだった。当時、ぼくは仲間たちと周辺の洞窟を調査していた。その花は洞窟のすぐ近くでいつも風にそよいでいた。その翌年も、ぼくは赤い花の存在に気づきながら、名前を知りたいとまでは思わなかった。あるとき、ぼくはその花から甘い香りが漂ってくるのに気づき、近寄ってみた。ボンボン状の赤い花からは蜜があふれ出ていて、それが濃厚な甘い香りを漂わせていた。なぜかそのことが気になり、書店でハワイの花の本を手に取った。花の名前はレフア、レフアの花をつける木をオヒアと言った。

オヒアは小笠原に生育するムニンフトモモの仲間で、かつてはハワイフトモモと呼ばれていた。オヒアの先祖はオーストラリアやニューギニアあたりに起源を発するとも言われる。ハワイ諸島には、渡り鳥の糞などに混じって到来したのかもしれない。オアフ島のワイメア植物園など、ハワイには小笠原の植物を展示するところがいくつかあるのだ。ハワイ諸島と小笠原諸島は意外にも植物の類似性が高い。両者の間を流れる海流が植物の種子を運んでいるのかもしれない。魚やウミガメなども類似性が高いと言われている。

左上／レフアと呼ばれるオヒアの花　左下／荒涼とした溶岩大地に1本だけ残ったオヒアの木　右上／樹高30メートルほどのオヒアの巨樹
右下／樹高わずか50センチほどのオヒア

オヒアはハワイの原生林の主役とも言える木で、外来種が圧倒するハワイの自然のなかでも、いまなお20パーセント近くはオヒアの森だ。在来の植物の20倍に及ぶ外来種があふれかえるハワイ諸島で、この数字は奇跡のようなものだ。

オヒアは枯れ木のような外観には不釣り合いなほど美しい赤い花をつける。この花には特別にレフアの名が付けられているけれど、先住のハワイ人の故郷のひとつであるタヒチにもレフアという木があるので、たぶんオヒアとレフアの両方の名が使われてきたのだろう。レフアの花は、森林ではとてもよく目立つ。ただし、花弁はよほど注意して観察しないと気づかないほど小さく、しかもすぐに落ちてしまう。一般に花と言われているのは赤く長い糸状のおしべとめしべの集合体なのだ。しべ（と花弁）には、赤色のほかに黄色やクリーム色などもある。花にはとても小さな種子がつき、受粉するとしべのあとに巾着のような可愛らしい実をつける。

キラウエアのナーパウ・クレーター近くでとても小さなオヒアを見たときに、ぼくの植物に対する関心のトリガーがひかれた気がする。その日、足元の、強い日差しと風が吹きつける溶岩のわずかなすき間に小指の先ほどのオヒアが根づいていた。いつ吹き飛ばされてもおかしくないし、いつ乾ききっても、日差しに焼きつくされてもおかしくなかった。けれども、それは生きていた。なんと自らの根に樹液をたらし、飛んでくる空気中の埃を付着させて自分の足場を作っていたのだ。触れてみるとゴムのような弾力性があった。植物が育つには劣悪な環境のようにもみえるけれど、オヒアはしたたかだった。この強靭な生命力で、オヒアはハワイ諸島全土を席捲していったのだろう。溶岩が流れたあとの黒々とした平原に最初に根づくのは、ふつう地衣類やコケ類で、ハワイ諸島の溶岩平原では、溶岩にカビが生えたような模様が見つかる。その後、岩の割れ目にオヒアも芽吹きはじめるのだ。

ハワイ島の火山国立公園内にキラウエア・イキ・トレイルがあってクレーターの底を歩くことができる。クレーターは見渡す限りの溶岩平原になっているけれど溶岩の割れ目からはときおり植物が芽吹いている。オヒアはそこで、ツツジ科のオヘロや、クプクプとアマウという2種類のシダに混じって顔を出している。オヒアは陽樹といって、ふんだんな光を必要とする。これらの植物はどれも遮るもののない空間に枝葉を広げているけれど、やがてこのクレーターにもこれらの植物が育ち、森が作られていく。しかし、避けることのできない大きな問題が立ちはだかっている。オヒアが育って森をつくると、地表（林床）には十分な光が届かなくなる。すると、新たなオヒア（新芽）は育たなくなる。多くの日差しを必要とする陽樹は子孫を宿す環境を失うことになるからだ。本来であれば、適度な日陰ができると、今度はそこに、陽樹ほどには光を必要としない陰樹が生育しはじめる。やがて最初の森を形成したオヒアなどの陽樹は枯れて姿を消し、陰樹だけの森ができる。安定的な植物相が完成するまで、そのときにもっとも適した植物が次の植物へとバトンタッチするように代わっていくのが一般的な森の移り変わりなのだけど、ハワイには陰樹がなかったので、この当たり前のことが起きなかった。

生き物たちのサンクチュアリ

ハワイ島の火山国立公園を出てすぐのところにキプカ・プアウルという自然歩道がある。キプカとはサンクチュアリといった意味で、噴火して流れ出した溶岩が一帯を覆いつくしたとき、そこだけ森林が残った場所を指す。キプカはこの島に何ヶ所もあるけれど、プアウルは比較的規模が大きく、野鳥の楽園にもなっていて、

左上／オヒアの木にやって来たアパパネ　右上／オヒア・レフアの仲間であるオヒア・アーヒヒ　右下／上空から見たキプカ・プアウル（Google Mapより）

キラウエア・イキ・クレーター

ここでしか見られない植物もある。

車止めから歩き出すと間もなく仰ぎ見るような巨木に突きあたる。ぼくは最初、それがオヒアだとは思ってもみなかった。オヒアのイメージと言えばゴツゴツとした、枯れかけたような姿なのだが、ここのオヒアはまったく違う。スギやヒノキのようにすっくと伸びていて、樹高は30メートルを超える。はるかな高みに見覚えのある赤い花がついていなければ、それがオヒアの木だとはわからなかっただろう。

この木がオヒアであることを間接的に教えてくれるものもいた。オヒアにつくレフアの花によく似た色合いのアパパネという野鳥だ。この鳥は主にレフアの蜜を吸う。木が大きく、比例して花の数も多いから、アパパネも数多く集まってくる。鳥は小さく、しかもかなり高いところを飛び交うので観察には向かないけれど、この光景こそ、太古の昔から続いていたオヒアと野鳥たちが創り出した自然の原点なのだ。プアウルは植物だけでなく、野鳥たちにとっても貴重なサンクチュアリだということだ。

オヒアは環境が変わると外観を変える力がある。カウアイ島の高地のアラカイ湿原を例にあげると、湿原手前のピヘア周辺では樹高が10メートル近くあるが、湿原に近づくにつれて次第に低くなり、湿原に入ると樹高はせいぜい50センチほどとなる。水分補給と水はけがよく、土壌にたっぷりの栄養があるような生育条件があれば、オヒアは巨木となる。葉は薄く大きく明るい色をしていて、表面、裏面ともに毛（繊毛）は目立たない。その対極ともいうべき高地の湿原地帯では幹は節くれだち、少しでも多くの日差しを得ようと枝は横に広がる。葉は厚く小さく色は暗く、繊毛が目立つ。

オヒアはいったいどのようにしてこのような特徴を獲得したのか。たぶん、オヒアという陽樹の森を受け継ぐ樹木（陰樹）が存在しなかったからだ。大胆な外観上の変身は、オヒアの宿命だったに違いない。山間のいたるところで見られる一般的な高さのオヒアは、幹も枝も節くれだち、葉や花は少ない。初めてオヒアの森を見たときは立ち枯れしているのかと思ったほどだ。しかし、どのような外観であっても変わらないものがある。それは燃えるような色合いのレフアの花だ。形も大きさもなにひとつ変わらない花は、さまざまな環境に適応しつづけてきたのだ。

1970年代に、ハワイ島のオヒアの木は次々と枯れ始めて大騒ぎとなった。オヒアは自らが作りだした枝葉で足元（林床）に日陰を作ってしまう。そのため、受粉した種子は日差しが足りず、発芽することができない。けれども、その代わりを務める陰樹もない。そのため、オヒアは木の寿命が来ると次々に倒れてしまったのだ。一時は未知の病原菌が蔓延していると騒がれたけれど、やがて真相は解明した。

オヒアの木が次々と倒れると林床には再び光が差しこむようになる。すると地中の種子は光に反応して発芽し、新しい世代のオヒアの森が作られた。数万年、いや、数十万年以上も、この木はそれを繰り返してきたに違いない。オヒアはハワイの自然環境に適応し、形や性質を変えつつ、溶岩平原のような乾燥と強風が支配するところから高地の湿原まで、あらゆるところに進出していったのだった。

キプカ・プアウルを含むキラウエア一帯にはあちこちにオヒアの森が広がる。節くれだった木はなんだか心もとなく見えるけれど、この木ほど島の歴史をたくましく生きてきた木は他にない。マウナ・ロア南麓のキャンプ場近くまで登り、そこからカルデラを見下ろすと、果てしなく広がる溶岩大地のそこかしこに緑の塊が見える。繰り返される火山活動を生き抜き、ハワイの隅々まで覆いつくすオヒアの森だ。さまざまに姿を変えながらも生きつづける強靱な力は、外来種の圧倒的な進出というハワイの厳しい自然環境に、わずかながらも希望を与えてくれるような気がする。

　溶岩のただなかで成長する植物というのはすごく劣悪な環境に耐えている、というイメージがあるかもしれないけれど、いったん根づいてしまえば状況は逆転する。地球内部のマグマが地表に送り出す溶岩はミネラル分がとても豊富で、植物にとっては豊かな土壌となる。植物にとってもっとも生育条件のよい島はと言えば、意外なことに溶岩が露出したハワイ島だったりするのだ。先住のハワイ人たちにとって火山の噴火と流れ落ちる溶岩は恐怖だったろうけど、その溶岩が大地を肥沃にしてくれることを知っていたのかもしれない。

オヒアの森アクセスマップ

フラが語るもの

レイが持つエネルギー

レイができるまで

ジェイク・シマブクロのコンサートを聴きに行ったり、ハワイ土産の品定めをしたりと、ホノルル港のアロハタワーへ足を伸ばすことが多い。アロハタワーのあるホノルル港は、ハワイ諸島の玄関口として賑わったかつての面影はすでにないけれど、ホノルル湾の鎮まりかえった海を眺めていると、停泊しているタグボートの脇から昔のハワイ人がアウトリガーカヌーに乗って姿を現すように思えてくる。

ホノルルとは「静かな湾」という意味で、深い入り江となっているためか、波はいつも穏やかで、ワイキキやダウンタウンの喧噪もここでは無縁だ。かつて船による往来が主流だった頃、ハワイを訪れる人たちが最初に立つのは、いまはほとんどが倉庫街となっているこの埠頭で、ここには多くの土産物売りが並んでいた。手元に一冊のハワイ写真集がある。撮られることに慣れていないのか、少し強ばった表情をしたハワイの女性たちが、あふれんばかりのレイを手にしてこちらを見つめている。この港は、花のレイの発祥の地でもあるのだ。

花のレイはハワイのイメージに欠かすことができないけれど、素材としての花が注目されるようになったのは19世紀も後半になってからのこと。アメリカ本土から船でハワイを訪れた人たちに、レイを販売するようになったのがきっかけだった。当時はマトソンラインという汽船がアメリカ本土からやって来てアロハタワー近くに停泊したのだ。客が下船しはじめると、埠頭に待機していた土地の女性たちは満面に笑みを浮かべ、香り豊かな花で編まれたレイをかけた。このときからハワイを訪れる人たちは、花のレイを通じてアロハの心を感じはじめたのだった。けれどもかつてハワイ観光の玄関口として栄えたこの港も、いまは貨物船が行き交うだけとなってしまった。ぼくはアロハタワー近くの駐車場に車を停め、湾に沿って歩いてみた。どこまで行っても倉庫と貨物船の景色が続くので、反対方向に見えるダイヤモンドヘッドがなかったら、ここがハワイであることにも気づかないだろう。

レイには、美しい色彩と甘い香りにあふれた花飾りというイメージがある。でも、かつてはお祝い事だけじゃなく、豊饒や豊漁、戦いの勝利などを祈願する手段だったり、魔除け（マルマル）として使われた。レイには霊的な力が求められたのだ。だから香りや美しさよりも、貝や海草、木、鳥の羽毛、あるいは人間の頭髪、石、獣骨、牙、人骨など、パワーのありそうな素材が使われている。

今日を象徴する美しく香り豊かなレイの歴史は、アロハタワーの前に広がる小さな埠頭からはじまったと言ったが、これにまつわるおもしろい話がある。いまから100年以上も前にハワイを訪れた観光客たちにはひとつのジンクスがあった。ハワイを離れるとき、船上からレイを海に投げ、そのレイが沈まずに海岸に戻ることができれば、再びハワイに戻って来られると信じたのだ。トレビの泉のハワイ版だろうか。蒸気船がアロハタワーのあるホノルル港を離れ、ダイヤモンドヘッド辺りまで来ると、乗客は一斉にレイを海に投げ込むので、海上には何百というレイが海に漂ったという。それはじつに壮観だったに違いない。この頃からレイは、歓迎や親愛の情を示す手段として、あるいは誕生日や冠婚葬祭、祭日を祝うものとして用いられるようになっていった。

埠頭の先に人だかりがあって、みなが足元を見下ろしている。そこにすごい数の魚が集まっていた。餌を与えているわけでもないのに、魚たちは人影の下から動こうとしなかった。日差しの加減で美しく体色を変える魚たちを見ていて、ふとぼくは思った。かつての観光客は色とりどりの魚たちを、レイのイメージに重ね合わせたのではないだろうか。華やかな色彩はサンゴ礁の魚と花だけの特権とも言える。船上からレイを海に投げ入れるのは、魚の体色とレイの花色が美しく溶け合う様子を楽しんだのかもしれない。

アロハタワーに隣接するマリタイムセンターは太平洋という海がもたらした文化を伝える重要な施設なのだけど、いまは休館中だし、アロハタワーの敷地に作られたモールも空き室が目立つ。そもそも観光客があまり来ない場所なのだから、この先もあまり期待は持てない。でも、それは古いものが損なわれることなく保たれているということでもあるのだ

ダウンタウンのレイ・ショップ

左／アロハタワー　右／さまざまな花で作られたレイ

と、ぼくは思った。

港を出てアラモアナ人通りを渡り、ダウンタウンに入った。チャイナタウンにはレイを販売する花屋が何店も軒先を連ねている。場所柄、中国系アメリカ人経営の店が多い。アジア系だからというわけじゃないが、店員たちはいつも額に汗を浮かべ、忙しく立ち回っている。築地の朝市と似ていると言えばいいだろうか。レイやレイの素材となる花の入った段ボール箱が店の奥に背丈よりも高く積まれていて、そこでは男たちが力仕事をこなしている。どの店もそれほど大きくはない。レイを入れた箱がどんどん積み上げられていき、もたもたしていると箱の山が空間を覆いつくしてしまいそうだ。美しい色彩と香りに包まれたレイは、汗の飛び散る現場から届けられるのだ。

レイの美しき素材

伝統的なレイの素材にはもちろん植物も含まれる。マイレのレイは、戦いの休止や終了の印として使われたし、キー（ティ）は厄よけ、ポーフエフエは漁師が安全と豊漁を祈願して身につけ、ピカケやハラ（タコノキ）のレイはフラの女神ラカに捧げられた。シダの一種であるパラパライも女神ラカが身につけたとされる。ククイやカマニなど、実を使ったレイも多い。

ハワイの王族にとってもっとも権威ある花は、黄金色をしたイリマで、王家の儀式などで用いられた。半神マウイが怪物を退治して母である女神ヒナを助けたとき、ヒナはその喜びを表すためにイリマでレイをつくり、自らを飾ってマウイに感謝の意を表したという神話や、女神ラカがイリマに姿を変えたという話など、イリマにまつわる神話は多い。

この黄金色の花は時間とともにオレンジから赤へと変化する。イリマのレイは幾重にも回してかけられるのだけど、花が小さく薄いので、ひとつのレイを作るのにおよそ700個もの花が必要となる。その上、花はすぐに色を変えるので、早朝に摘んで暗箱に保管し、使用する直前に取り出すなど、他の花のレイに較べて多くの手間がかかる。だから王の元で働く女性たちは夜明け前から花摘みをした。

100年前の乗客たちに渡したレイのなかでもとりわけ高価だったのが、「10セントの花」という意味を持つプア・ケニケニだった。筒状の花は、咲きはじめは白く、次第にオレンジ色へと変化する。とても良い香りがするので、今日でもレイをはじめ、ココナッツオイルの香りづけなどに用いられている。ひとつのレイには何十個もの花が使われている。たとえばクラウン・フラワーのレイは60個〜120個、プルメリアは50個〜80個ほどだ。それらがいずれも25セントから50セントほどで売られていた時代に、プア・ケニケニのレイは花1輪がなんと10セントもした。ひとつのレイに用いられるプア・ケニケニの数は100個前後だから、レイ1本が10ドルもするわけで、飛び抜けて高価なものだった。

今日のハワイでもっともポピュラーなレイは、日本でもよく使われる赤紫色のデンファレ（デンドロビウム・ファレノプシス）だろう。これはコチョウラン（ファレノプシス・ハイブリッド）に似ていることから名づけられたものだ。ハワイではデンファレとともに、マウナロアというラン（Maunaloa Vanda Orchid）がレイによく用いられる。ちなみに、花弁の白いものは結婚式でも用いられる。また、二重のレイは花婿と花嫁の母親が、一重のレイは媒酌人がつけると決められている。

人にレイを贈るには、いくつか約束事がある。たとえば、産まれてくる赤ん坊がひっかかるかもしれないという理由で妊婦に贈るレイは輪にしないとか、プルメリアは墓地に植える花なので結婚式などの儀式では使わないなどだ。ただ、ハワイは大昔からそうなのだが、うるさい約束事にも例外を設けている。プルメリアの場合で言えば、この花は美しく甘い香りを放つので、とても人気が高い。だから観光客向けをはじめ、フラの髪飾りや日常的な装飾などにもよく使われている。

ハワイでは5月1日になると、メイ・デーならぬレイ・デーが開催される。この催しは、１９２８年、作家のグレース・T・ウォーレンが「メイ・デーをレイ・デーに」と提唱したことに始まる。その後、第二次世界大戦の一時期を除き、今日まで80年の長きにわたってレイ・イベントは続いてきた。当初ダウンタウンで行われていたこの催しは、その後、カピオラニ公園とヌウアヌの王室霊廟公園で開催されるようになった。会場では創作レイのコンテストなど、さまざまなレイ・セレモニーが行われて人気は高い。１９２９年からはホノルル市の公式行事となり、２００１年からは州全体の公式行事となっている。

ダウンタウンで行われていたレイ・イベントのその後をたしかめに、カピオラニ公園まで歩いてもよかったのだけど、レイの歴史を訪ねる散策はここで終わり。せっかくチャイナタウンまで来たのだ。ゆっくり中華料理を味わっていくことにした。

左／リリウオカラニ女王の銅像にかけられたレイ　右／ハレマウマウに捧げられたレイ

左上／髪の毛とクジラの骨で作られた伝統的なレイ　上中／レイ・デイに参加した婦人　右上／デンファレのレイ　左下／髪を束ねたレイ　下中／マイレとモキハナの実のレイ　右下／カマニの実で作られたレイ

左／イリマ　中／ポーフエフエ　右／マイレ

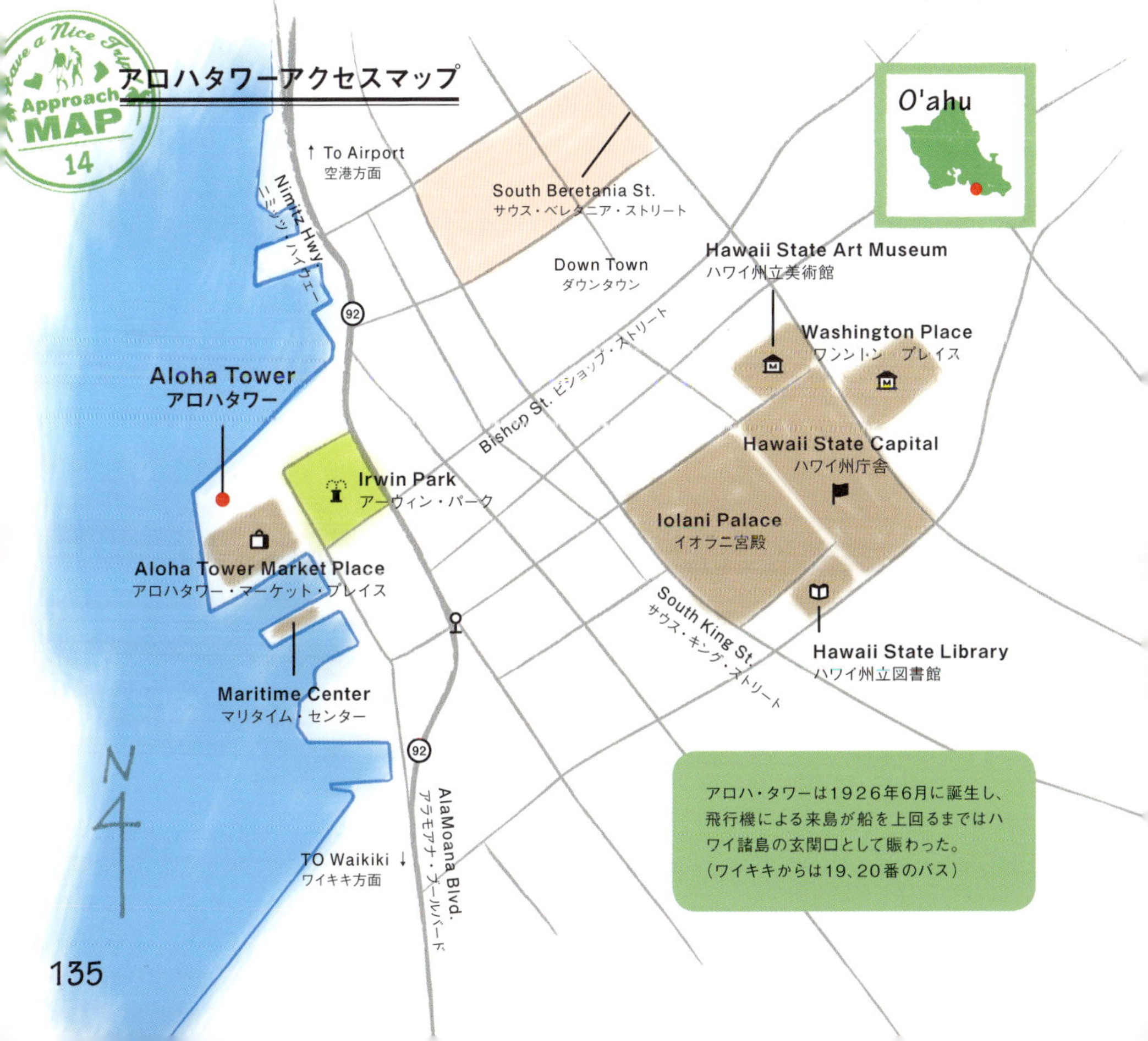

アロハ・タワーは1926年6月に誕生し、飛行機による来島が船を上回るまではハワイ諸島の玄関口として賑わった。（ワイキキからは19、20番のバス）

フラとアカカ・フォールズ

アカカ滝へ

ハワイ島ヒロのダウンタウンを出てワイルク川を越え、北へ車を走らせる。左手には色とりどりの花を植えた美しい植栽が続き、右手には紺碧の空と光り輝く大海原が広がる。絵葉書的な光景というわけじゃないけれど、この辺りにはハワイ島の美しさがぎゅっと詰めこまれている。日系人の墓碑が連なる広大なアラエ墓地を過ぎ、いつも強風が吹きつけるホノリイ・ビーチを越えてさらに北海岸に近づくと、海側まで迫り出すマウナ・ケアの麓を削り取った崖が断続的に現れる。傾斜の強い山側の土地には打ち棄てられたサトウキビ畑が山麓を這うように高みへと続いているのが見え隠れする。

ユーカリの森に入ると、アカカ・フォールズ方面と記された標識が現れる。左へ折れて急坂を一気に登り、ひなびたホノムの町を過ぎると、一面のサトウキビ畑だ。サトウキビの穂の風にそよぐ光景は、かぎりなくどかで、日本の山村を訪れたような懐かしさを感じさせる。目指すアカカ・フォールズはその奥にある。

アカカ・フォールズはマウナ・ケアの標高２０００メートル近くから流れるコレコレ川にあって、少し下流にあるカフナ・フォールズとともに州立公園に指定されている。この２つの滝を巡る一周８００メートルほどの周回路にはさまざまな熱帯の花が植えられていて、散策路としても楽しめる。

フラに関わる人やハワイアンソングの好きな人であれば、一度は「アカカ・フォールズ（ワイレレ・オ・アカカ）」の歌を聴いたことがあるだろう。花に覆われた周辺一帯は州立公園に指定され、華やかさに秀でているのだけど、どこかもの哀しさも漂う。その理由は滝そのものにある。落差１３３メートルという巨大な瀑布は閉じ込められたような空間にあるせいか、神秘的で孤高の雰囲気があるのだ。だからこそ、その美しさが際立つのかもしれない。そのため、昔から多くの歌や伝説がつくり出されてきた。ハワイ文化の原点とも言えるフラは、火山や森のイメージとともに、滝も重要なシンボルとしてきたのだ。

フラに関心を持つ直接のきっかけは、ハワイ島のケアウホウで行われたある夜のホテルのショーだった。ステージに杖をついた老人が両脇を支えられて上がってきた。取り巻きは彼の弟子たちという感じで、老人はおそらく著名なクム（フラの師範）なの

カラーカウア王の戴冠式でフラの伝統楽器であるイプヘケを叩く人たち

左上／来島したキャプテン・クック一行にフラを見せるハワイ人
左下／クックに同行した画家が描いた男性のフラ　右／座ったまま踊るフラ（フラ・ノホ）

ケイキ（子供の）フラ（モロカイ島）

アカカ・フォールズの滝壺に出現した虹

だろう。踊れるとは思えなかったから、何かメッセージを伝えるのだと思った。しかし、彼は踊り出した。老人はほとんどその場から動かなかった。杖をつくくらいなのだから激しい動きは無理に決まっている。彼は腕から先を動かすだけだったが、遠目にも一目でそれが波の動きを表していることがわかった。腕はまるで骨が抜き取られて筋肉だけになったかのように全体が波打った。いや、波そのものになっていた。その波が数十メートル離れたぼくのところまで押し寄せたのだ。この体験はぼくの心をわしづかみにした。悔やまれるのは、彼の名前を知らないことだ。いまはその顔さえ定かに覚えていない。もう15年近く前のことだから、彼はすでにこの世の人ではないかもしれない。過去のそうした体験のせいで、ぼくのなかのフラのイメージにはいつも水がつきまとう。水を通じてフラを知り、フラを通じてハワイを知ったのだった。

その後、ハワイ島に通いつめたけれど、アカカ・フォールズは比較的近くにあったのに見る機会はなかった。数年の時を経てアカカ・フォールズを目にしたときのことはいまも鮮明に想い出す。公園とはいえ、当時はあまり管理が行き届いておらず、鬱蒼とした森のおもむきがあった。通路にはみ出した枝をはらいながら進むといきなり視界が開け、目の前に巨大な滝が出現した。左右の崖が滝を包みこむように迫り出しているので、直前までその存在に気づかなかった。いきなり現れた巨大な瀑布の、100メートル以上の高低差を一気に流れ落ちる迫力は圧巻だった。

✿アカカという戦士

アカカとはかつてこの地を治めていた戦士の名前でもある。はるか昔、滝の下流にあるホノムの村にアカカという戦士が住んでいた。若くハンサムで身体の大きなアカカは島中に名を知られ、女性たちを惹きつけた。ある日、妻がヒロ郊外にある彼女の両親が住む村に出かけた。するとアカカは、渓谷の北に住むレフアという恋人を訪れた。レフアはとても美しく魅力的な女性だった。

ところが、突然、彼の妻が戻って来た。アカカは裏口を通ってレフアの小屋を出ると峡谷を越え、今度はマイレという名の別の恋人のもとを訪れた。しかし妻は彼が着ていた服の臭いを追って近くまで追ってきた。そして、家へ戻ってきてほしいと呼びかけたのだった。その声を聞いたアカカは慌ててまた裏口から小屋を抜け出すと、近道をして家に戻った。

ようやくひとりになったアカカは、いつも彼のそばにいる飼い犬とともに腰を落ち着けた。彼は浮気を気づかれないようにする言い訳を考えたが、気持ちは乱れ続けた。妻を裏切ったことに対する罪と羞恥の意識が押し寄せたのだ。愛する妻はいつも彼を支え、疑うことなく彼を信頼してきたのだった。

少ししてアカカは小屋を出た。犬も彼のあとを追った。アカカは周囲を一望できる絶壁まで走り、そこから遠くにある島や海を見回した。彼は北に住むレフアと、南に住むマイレの小屋を見やったあと、崖から身を投じた。犬は戸惑いながらも続いて飛びこんで鋭い岩に姿を変えた。やがて彼の妻が崖までやって来た。彼女はすべてのことは水に流そうと言い、自分がいかにアカカを愛しているかを告げた。しかし時はすでに遅すぎた。彼女は崖の縁で止めどなく涙を流したのだった。

やがて涙は崖から流れ落ちはじめ、滝へと姿を変えた。彼女はアカカに戻ってきてほしいと訴え続けながら、石へと姿を変えた。ほどなくマイレとレフアもアカカの死を聞き、悲嘆に暮れて、石へと姿を変えるまで涙を流しつづけた。

アカカ滝のすぐ下にある峡谷では、彼らが泣いているのが聞こえるという。そして今日でも、アカカの死を悼み、人々は滝に捧げ物を投げ入れる。土地の古老はこんなことを言っていた。「月が出ず、葉はそよとも動かず、コオロギも押し黙る夜、轟音を立てる滝壺の近くで、妻がまだアカカを呼んでいる声を聞くことがある」。

滝の近くの、ペレの石（ポーハク・ア・ペレ）と呼ばれる岩をオヒアの枝で打ったり、この岩にマイレのレイをかけると、空が暗くなって雨が降ると言われる。レフアとマイレの2人の出現に、アカカの妻は涙するのだ。また、落ち口から20メートルほど上流にある三角形の大岩はポーハク・オ・カーロアと呼ばれるが、名の由来はわかっていない。

伝承は、男の浮気とその悔い改めを語っているけれど、アカカという戦士をハワイの人々に置き換え、妻を故郷と置き換えると違う側面が見えて

左／火の女神ペレに捧げられたフラ　右上／フラの伴奏をするクム（師範）と弟子たち　右下／火の女神ペレに捧げられた供物

左上／プー・イリ（竹で作られた打楽器）　左下／イプヘケ（ヒョウタン2個で作られた打楽器）　中／鼻笛オヘ・ハノ・イフを吹く火山国立公園のレンジャー　右／イプヘケオレを叩くクム　この頁の楽器は主にフラで使う楽器だが、鼻笛は伝統楽器のひとつ

Approach MAP 15

アカカ・フォールズアクセスマップ

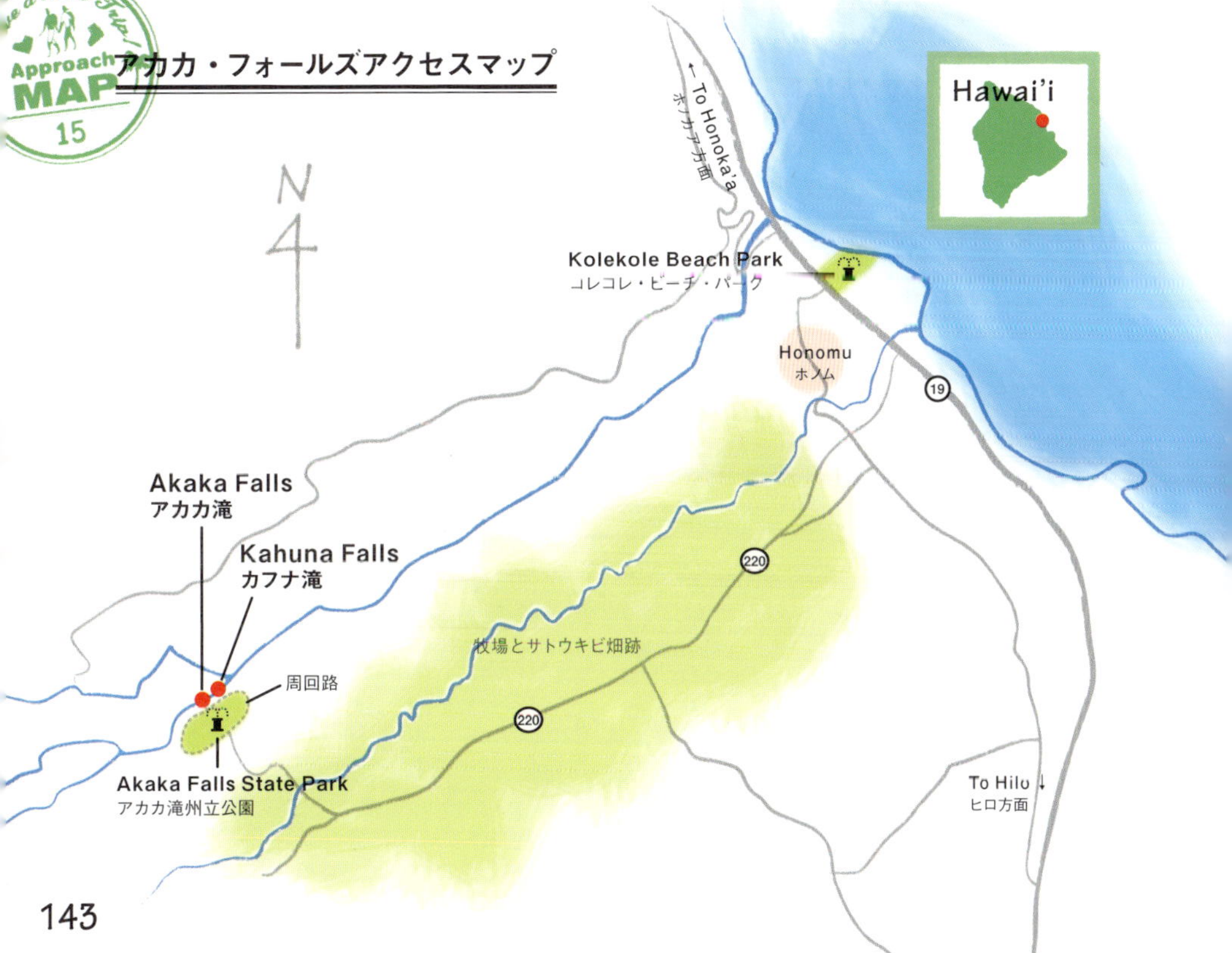

くる。今日の人類学によればハワイ諸島に最初に移住したのはマルケサス諸島の人々とされている。その後に大挙してタヒチから人が渡来し、マルケサスの人々に代わって島々を治めた。もしかしたらタヒチの人々の後に別の人々が出現し、ハワイの島々を制覇したのかもしれない。先住の人々は慢心していた気持ちを後悔と表現し、その涙を滝にたとえたのかもしれない。

アカカ・フォールズに関する伝説も歌もフラも、隠された意味がある。フラの世界ではつねにこうした伝承や史実を踊りのなかに込めてきた。ケアウホウの老人のように、自然そのものを見事に表わしながら、同時に彼らの歴史を伝えてきたのだ。だからぼくはフラから目が離せない。フラは、ハワイの人々のアイデンティティそのものなのだ。

コレコレ川を遡るとアカカ・フォールズの先にも次々と滝は現れ、標高2000メートルの辺りに達する。その先は森林限界を越え、荒涼とした岩だらけの世界となる。アカカの崖を流れ落ちる水は、天にもっとも近いところから流れ下ってきた水でもあって、それは計り知れないエネルギーを秘めている。人々はそのように信じたに違いない。

帰りもサトウキビ畑の大海原を降りていく。風が吹き、無数のサトウキビの穂が、意志を持った生き物のように揺れ動く。それを見たとき、ケアウホウで踊った老人を思い出した。これもまた彼が描きたかったことなのかもしれない。イメージは、見る側の感性によってどのようにでも変わる。フラの奥深さを改めて知らされたように思った。サトウキビ畑のその先には、光り輝く海が控えていた。

ヘイアウとマナの力

楽園のなかの神殿

ハワイはとてもミステリアスな場所だと思う。素晴らしい自然が気持ちを穏やかにするので、心身ともにリフレッシュしやすい。どのリゾート地だって似たようなものかもしれないけれど、ハワイには他と異なる力がみなぎっているような気がする。

その日、ぼくはハワイ島のカイルア・コナの町を北上してコハラ半島の付け根に向かった。目指すは、南端にあるプウ・コホラー・ヘイアウだ。ヘイアウとはハワイ独自の神殿のようなもの。なかでもプウ・コホラーは、ハワイ最後のヘイアウと言われている。ただしゼロから造ったわけじゃない。16世紀末に造られたヘイアウを改造したもので、1791年に今日に見られる形となった。数年前に国立歴史公園となり、立派なビジターセンターも作られたけれど、皮肉にもそのすぐ後に起きた地震で貴重な石組みは崩壊してしまった。

欧米人がハワイを席巻した19世紀以降、ハワイの伝統文化は野蛮なものとして次々と禁じられた。諸外国はハワイの伝統文化そのものを否定したのだった。ハワイアンの信仰の象徴であるヘイアウは、真っ先に破壊の対象となった。その結果、当時の姿を残すヘイアウは数えるほどになってしまった。わずかに残されたヘイアウのひとつだったプウ・コホラー・ヘイアウの崩壊は、貴重な伝統遺跡の隠された神秘が、またひとつ消滅し

左／プウ・コホラー・ヘイアウに積まれた石　右上／プウ・コホラー・ヘイアウの下にあるマイレキニ・ヘイアウ　右下／カウアイ島にあるフラの女神ラカのヘイアウ（ハーラウ）

プウ・コホラー・ヘイアウ（ハワイ島）

たことを意味する。

日本でのパワー・スポット（セイクレッド・プレイス）ブームは、ハワイの伝統宗教や信仰のあり方とは少し異なる形で広がってしまった。ヘイアウをはじめ、出産を行ったバース・ストーンや祭壇は、たしかに大地の力を感じさせるところに建立されることが多いけれど、宗教的な意味合いより戦略的に重要な土地や、機能性、あるいは単に最初からそこにあったからという理由で選ばれた場所も少なくない。なかには人を生贄として捧げたり、呪う場所であったりするところもあるから、いたずらに近づかない方がよいところもある。古今東西の歴史が示すように、宗教的な史跡には神秘的な物語もあれば血腥《ちなまぐさ》い史実もある。ハワイだってその例外ではないのだ。

それでも敢えてそこに行くというのであれば、そこがどんな場所であれ、土地の人と同じようにリスペクトすべきだと思う。敬意を払うことで神

現在は入島が制限されているカホオラウェ島の巨石と祭壇。沖合に出るカヌーはこの岩を目印に行き来したと言われる

聖な気持ちになるし、その土地の文化に対する理解だって深くなる。ときに戸惑いを覚えることもあったけれど、ぼくは少しずつそれを学んでいった。

プウ・コホラー・ヘイアウは10年ほど前まではもっとオープンだった。内部には入れなかったけれど、すぐそばまで行けたので、石組みの細かな様子もよく観察できた。ヘイアウは石組みがとても重要なのだ。石には秘められた霊的なエネルギーがあり、それを敷きつめることで、わずかな高低差ではあっても、地上とは異なる神聖な空間が作り出されると信じられたからだ。

詳しいことはわからないけれど、石組みにはひとつひとつに工夫があるに違いない。内部に至る階段のすり減った置き石を見ながら、カフナ（神官）が神々へ祈りを捧げるために、一歩ずつ慎重に石段を行き来するのを思い浮かべた。

地震の後に修復されたヘイアウは、全体としては同じ形をしているけれど、細かな点はずいぶん違っている。気にするほどではない許容範囲の設計なのか、あるいは新しい解釈なのか。それとも、細かいことは考えていないのか。いずれかなのだろう。ぼくには、石の明暗や大小、質感、形状などにも宗教的な意味合いがあったように思える。与える雰囲気は微妙に異なってみえた。

十数年前、ビショップ博物館が中心となってマウイ島のピイラニ・ハレ・ヘイアウを修復したときも石を組み直す作業が行われた。参加者の大半は学生ボランティアで、学者たちの監督下に行われたが、石のひとつひとつを考慮したわけじゃない。ピイラニ・ハレはハワイ諸島最大級の石組みだから、細かなことを気にしていたら再建に何年も、いや何十年もかかってしまう。だから正確さという点については妥協が必要だったのかもしれない。一方、プウ・コホラー・ヘイアウはハワイ島最大級とはいえ、ピイラニ・ハレの数分の1しかない。

詳細な資料もあるのだから、もう少し忠実に復元できなかったものだろうか。

✿さまざまなヘイアウ

ヘイアウはハワイの伝統文化において宗教儀式を司る重要な施設だった。遠くマルケサス諸島やタヒチの宗教様式を持ちこんだもので、長い歴史のなかで少しずつ変化し、ハワイ独自のものとなった。島ごとに独自の形があるだけでなく、島のなかでもひとつひとつが微妙に異なる。考古学者は、新しいヘイアウは古いヘイアウのデザインを基にしながらも、つねに新しい発想を取り入れてきたためだという。

たとえば、マウナ・ケアの山頂にある小型の祭壇（101頁）は原初のヘイアウの形を示しているし、北西ハワイ諸島には階段状の石床に石像を並べたものや、楕円を基調としていて全体では魚の形に見える祭壇なんていうものもある。いずれも小型だが、時代を下るにつれて大型になり、マウイ島のピイラニ・ハレ・ヘイアウに至っては幅が100メートルを越す。ただし、このヘイアウは敷地の大半が王宮だったので、正確には最大とは言えない。プウ・コホラー・ヘイアウは過去のヘイアウのさまざまな特徴を受け継ぎながらも、カヴァイハエという戦略上重要な土地に建てられた。背景には、敵に対する威圧と監視という目的があったに違いない。コホラー（koholā）とはザトウクジラの意味なので、このヘイアウは「ザトウクジラの見える丘に建つヘイアウ」と言った意味だけど、コホラ（kohola）という言葉が、その背景にはある。コホラとは、首長が土地を支配するにあたって最初に公布する掟を意味するから、このヘイアウはハワイ島にとってとりわけ大きな意味を持っていた。

ピイラニ・ハレ・ヘイアウ（マウイ島）

ヘイアウは時代と場所、目的に応じてさまざまにデザインされたけれど、基本型はある。石組みされた敷地の周囲の壁の上や、内部の低い位置にキイと呼ばれる神像を立てるほか、アヌウと呼ばれる、神と交流するために行われる祈りの塔がある。その他にも、供え物を置く台（レレ）や、儀式に用いる太鼓を収めた小屋（ハレ・パフ）、ヘイアウ内で火を絶やさないようにするためのかまど室（ハレ・ウム）、それに、アリイ（首長）やカフナが滞在するための小屋（ハレ・マナ）が設置される場合もある。カメハメハ大王が諸島を統一した後、カイルア・コナのキングカメハメハ・ホテル脇に作られたアフエナ・ヘイアウは、素材は異なるものの、外見上はほぼ完全に復元されている。しかし、プウ・コホラー・ヘイアウにはそうした施設はほとんどなかったようだ。神への祈りよりは監視が主たる仕事だったのかもしれない。

プウ・コホラーを後にして眼下のカヴァイハエの港に向かって坂を下る。途中にキアヴェの林があって、足元にサヤがたくさん落ちている。実はこれが好みなのだ。サヤごと口に入れると、ちょっと焦げ目のついた焼き菓子のような昔懐かしい味がする。さらに下ると横長の石組みが現れる。マイレキニ・ヘイアウという名前が付いているけれど、ヘイアウの雰囲気はない。名前は「マイレの葉に覆われた」という意味なのだけど、いまは1本のマイレも見当たらないし、そもそもそんな優雅な雰囲気もない。ここはかつてカメハメハ大王の先祖が農業の神ロノか、戦の神クーを祀っていたところで、その後、大王の娘婿であるジョン・ヤングの進言によって要塞に改造されたものだ。低く細長い石組みからへイアウをイメージするのは難しいけれど、目に見えない力を感じる。要塞に変えられてしまったことに対する神々の怒りが、内に秘められているかのようだ。

マイレキニからさらに下ると湾に達する。マウナケア・ビーチやスペンサー・ビーチの並びだというのに、ここの海にはリゾートのイメージはない。ただ静かに波が寄せては返している。実はこの湾の底にもヘイアウがある。ハレ・オ・カプニと呼ばれるヘイアウは、サメの神カモホアリイを祀ったもので、１９５０年代までは辛うじて水面上に一部が見えた。この海に多くのサメが出没したのだろうか。でもいまは引き潮でも見ることはできない。

ヘイアウがハワイだけのものじゃないことは先に書いた。タヒチやマルケサス諸島など、ポリネシア地域に広く見られる神殿の一種で、ハワイ諸島のなかでもいろいろなタイプがある。見た目だけでなく、目的もかなり異なった。農産物の豊穣を祈るヘイアウもあれば、雨乞いのヘイアウもある。その反対に日差しを求めるヘイアウもある。なかには人を捧げるタイプのヘイアウもあった。この手のものは今日、ルアキニ・ヘイアウと呼ばれることが多いが、本当はヘイアウとルアキニは別物で、単にルアキニと呼ぶべきものだったらしい。いずれにしても、これらの祈祷所は日常のあらゆる事柄を反映させる、天と地との交流場所だった。

かつてのハワイ人はマナと呼ばれる霊的なエネルギーを信じた。マナの強い場所、強い素材、強い人を集めて形にしたのがヘイアウだと言ってもいい。彼らの祈りは神に届くこともあれば届かないこともあった。生け贄として人を捧げる背景には、必死の祈りがなかなか聞き届けられないという危機感があったのかもしれない。それはおそらく、ハワイという土地が、今日、ぼくたちがイメージするような楽園にはほど遠く、日々の水を確保するのも難しい厳しい暮らしがあったことを想像させる。

プウ・コホラー・ヘイアウに隣り合ったスペンサー・ビーチからは子どもたちの歓声が届く。わずか１００メートルの距離に楽園があり、こちら側には苦難の爪痕がある。それもこれもハワイなのだ。

アフエナ・ヘイアウ（ハワイ島カイルア・コナ）

プウ・コホラー・ヘイアウアクセスマップ

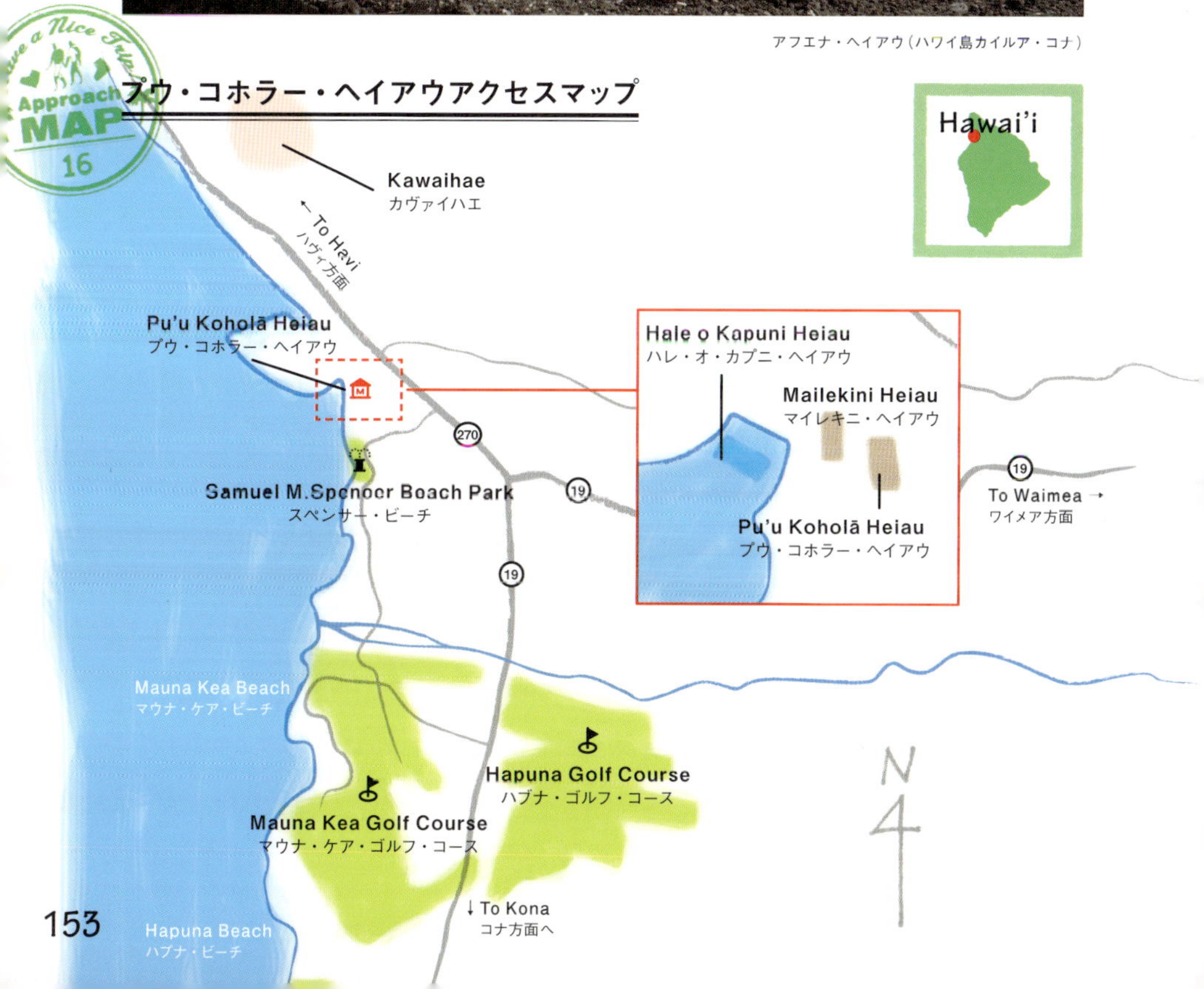

植物園＆博物館マップ

ハワイの島々には、たくさんの植物園や博物館がある。ハワイの自然や歴史、文化について、楽しく学ぶことができるので、ハワイをより深く知るための一歩として、足をのばしてみよう。

●●●●●は、各章の島における位置を表している。

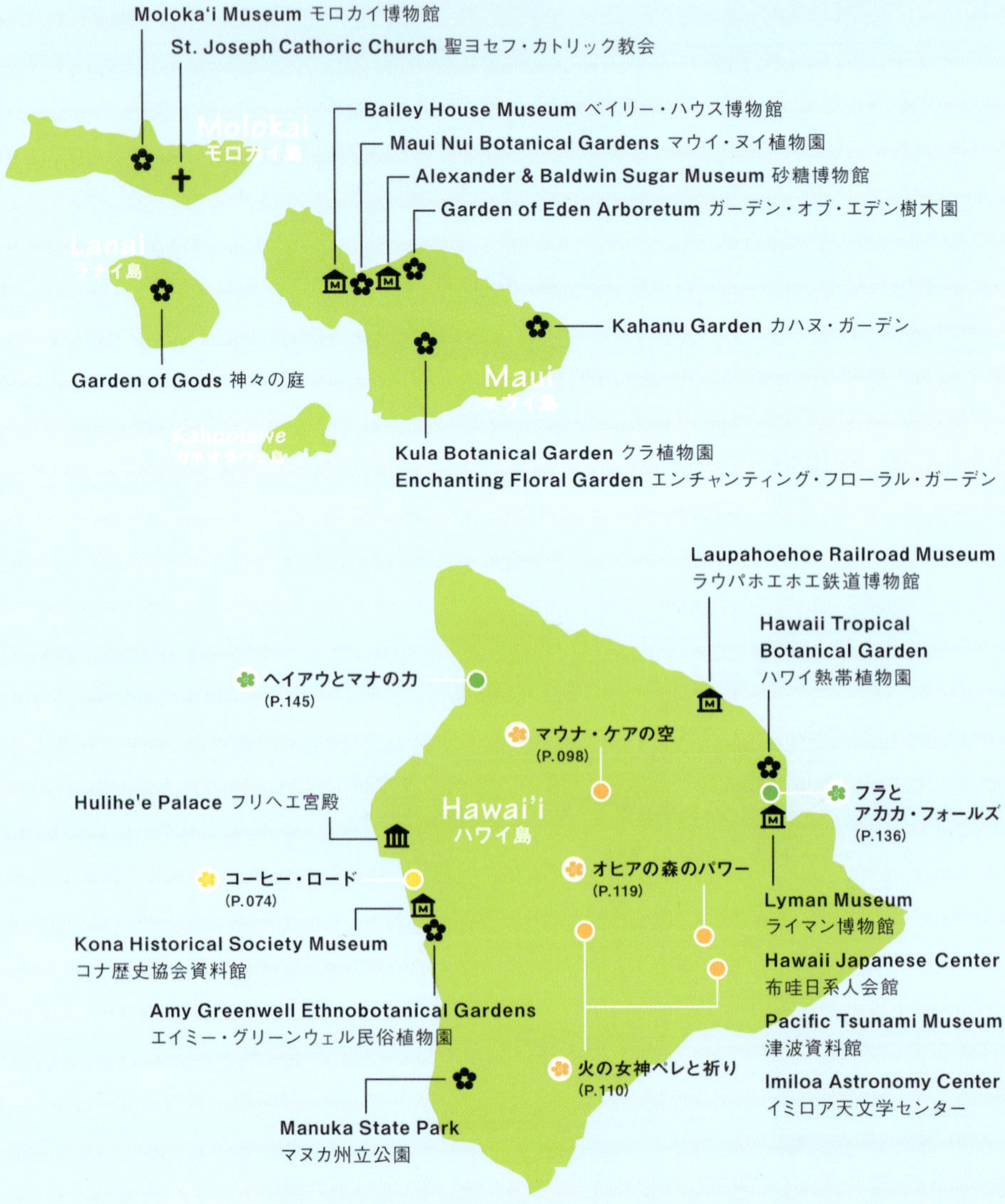

Limahuli Garden
リマフリ・ガーデン
Na ʻAina Kai Botanical Gardens
ナ・アイナ・カイ・ガーデン
タロイモとエコな文化 (P.082)
Kaua'i
カウアイ島
Kaua'i Museum
カウアイ博物館
Koke'e Museum
コケエ博物館
Allerton Garden
アラートン・ガーデン
McBryde Garden
マクブライド・ガーデン
Waimea Botanical Garden ワイメア植物園
Polynesia Cultural Center
ポリネシア・カルチュラル・センター
O'ahu
オアフ島
Wahiawa Botanical Garden
ワヒアヴァ植物園
Hawaii Plantation Village
ハワイ・プランテーション・ビレッジ
ビショップ博物館の冒険家
(P.066)
Ho'omaluhia Botanical Garden
ホオマルヒア植物園
フルーツの森を歩く
(P.028)
Koko Crater Botanical Garden
ココ・クレーター植物園
植物園へ行こう! (P.047)
Foster Botanical Garden
フォスター植物園
Honolulu Academy of Arts
ホノルル・アカデミー・オブ・アーツ
ブックストア散策
(P.058)
ローカルフードとこだわりのレシピ
(P.090)
Honolulu Zoo ホノルル動物園
Mission House Museum
ミッションハウス博物館
'Iolani Palace イオラニ宮殿
ダイヤモンドヘッドに登る
(P.038)
Waikiki Aquarium ワイキキ水族館
レイが持つエネルギー (P.128)
ビーチさんぽ (P.008)
カヌーに乗って (P.018)

ヘイアウ＆聖地マップ

ハワイの島々には、ヘイアウ（神殿の一種）が数多く残る。大半は石組みの一部か巨石が残るだけだが、神聖な場所として、いまも大切にされている。その主だったものを、紹介する。いにしえのハワイの文化を感じてほしい。

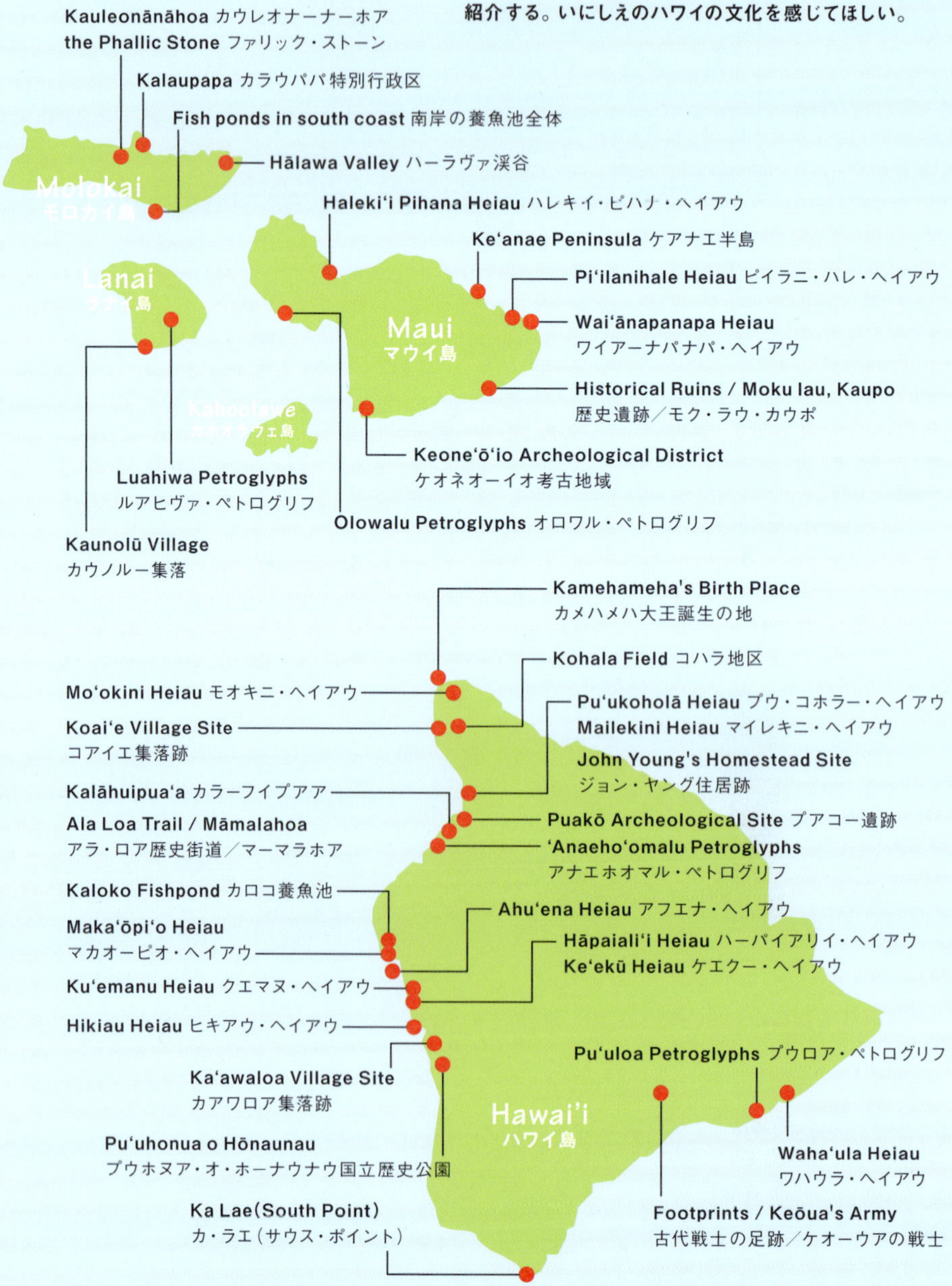
Kauleonānāhoa カウレオナーナーホア
the Phallic Stone ファリック・ストーン
Kalaupapa カラウパパ特別行政区
Fish ponds in south coast 南岸の養魚池全体
Hālawa Valley ハーラヴァ渓谷
Molokai
モロカイ島
Haleki‘i Pihana Heiau ハレキイ・ピハナ・ヘイアウ
Ke‘anae Peninsula ケアナエ半島
Pi‘ilanihale Heiau ピイラニ・ハレ・ヘイアウ
Wai‘ānapanapa Heiau
ワイアーナパナパ・ヘイアウ
Lanai
ラナイ島
Maui
マウイ島
Historical Ruins / Moku lau, Kaupo
歴史遺跡／モク・ラウ・カウポ
Kahoolawe
カホオラウェ島
Keone‘ō‘io Archeological District
ケオネオーイオ考古地域
Luahiwa Petroglyphs
ルアヒヴァ・ペトログリフ
Olowalu Petroglyphs オロワル・ペトログリフ
Kaunolū Village
カウノルー集落
Kamehameha's Birth Place
カメハメハ大王誕生の地
Kohala Field コハラ地区
Mo‘okini Heiau モオキニ・ヘイアウ
Pu‘ukoholā Heiau プウ・コホラー・ヘイアウ
Mailekini Heiau マイレキニ・ヘイアウ
Koai‘e Village Site
コアイエ集落跡
John Young's Homestead Site
ジョン・ヤング住居跡
Kalāhuipua‘a カラーフイプアア
Puakō Archeological Site プアコー遺跡
Ala Loa Trail / Māmalahoa
アラ・ロア歴史街道／マーマラホア
‘Anaeho‘omalu Petroglyphs
アナエホオマル・ペトログリフ
Kaloko Fishpond カロコ養魚池
Ahu‘ena Heiau アフエナ・ヘイアウ
Maka‘ōpi‘o Heiau
マカオーピオ・ヘイアウ
Hāpaiali‘i Heiau ハーパイアリイ・ヘイアウ
Ke‘ekū Heiau ケエクー・ヘイアウ
Ku‘emanu Heiau クエマヌ・ヘイアウ
Hikiau Heiau ヒキアウ・ヘイアウ
Pu‘uloa Petroglyphs プウロア・ペトログリフ
Ka‘awaloa Village Site
カアワロア集落跡
Hawai‘i
ハワイ島
Pu‘uhonua o Hōnaunau
プウホヌア・オ・ホーナウナウ国立歴史公園
Waha‘ula Heiau
ワハウラ・ヘイアウ
Ka Lae（South Point）
カ・ラエ（サウス・ポイント）
Footprints / Keōua's Army
古代戦士の足跡／ケオーウアの戦士

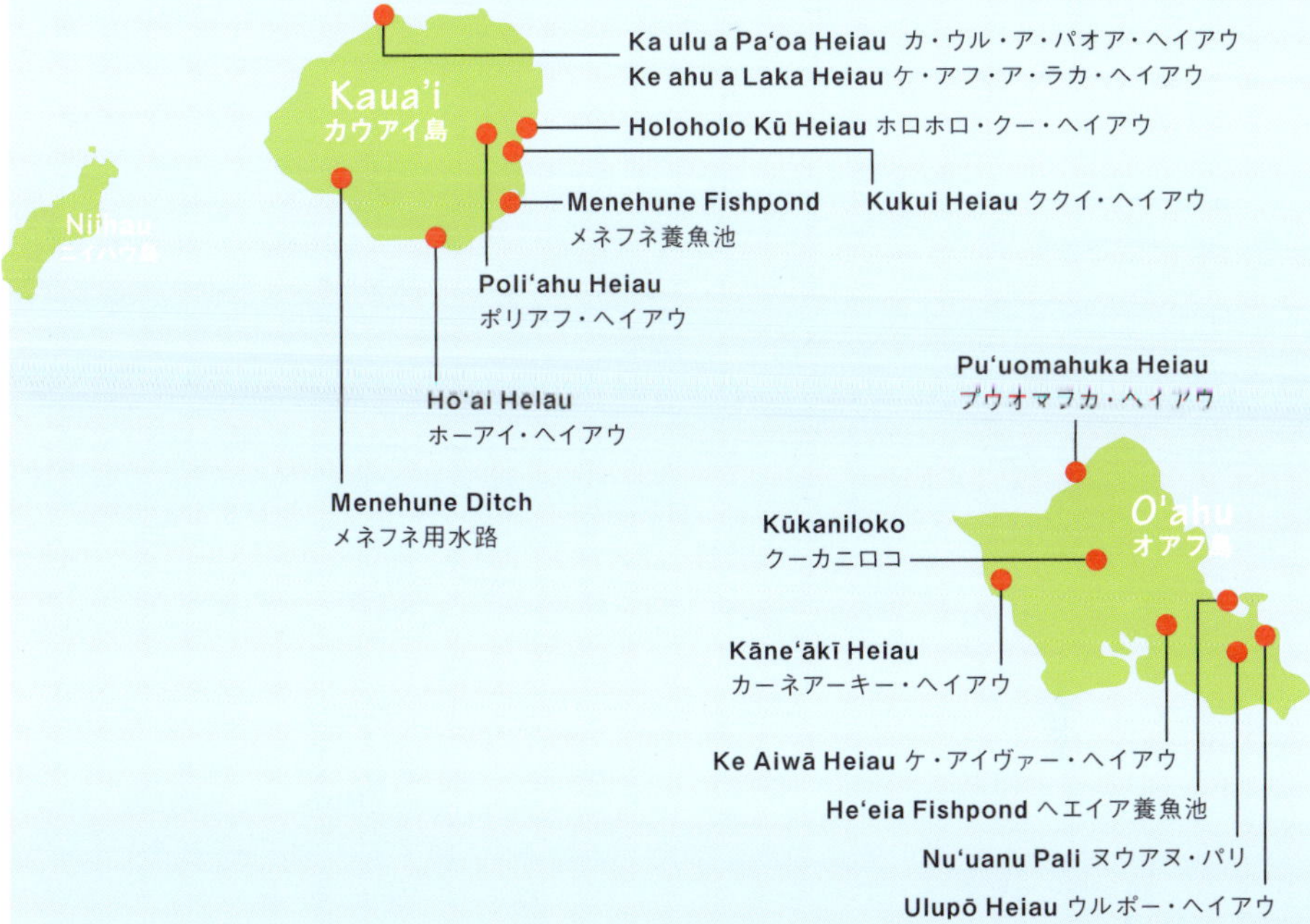

地図に示したのはパワースポット(セイクレッド・プレイス)と呼ばれる場所だ。ヘイアウ(神殿)をはじめ、歴代の王の誕生の地や、メネフネ(不思議な力を持つ集団)ゆかりの場所、渓谷などがある。いずれの場所にも石がある。ハワイの人々は、マナと呼ばれる聖なる力が石にあると信じ、巨大な石組みや巨石を通じて天の神々と交わったのだ。現在、そのほとんどは破壊されたが、各島の遺跡はハワイの伝統文化に接する貴重な場所と言える。

※写真:ハワイ島のプウ・ホヌア・オ・ホナウナウ国立歴史公園内のヘイアウと、オアフ島のクーカニロコにある巨石(王の妻たちの出産場所)。

あとがき

ハワイはなぜこんなにもぼくたち日本人の心を惹きつけるのだろう？　観光地は世界中にあるけれど、ハワイの高い人気は衰えることがない。その理由は多分ぼくたちの心のなかにある。目を閉じてワイキキから高層ビルを消し去ってみよう。そこに残るのは、通りに並ぶヤシの木や原色の花々、白砂のビーチ、そして間近に迫る荒々しい岩肌の火山だ。脳裏に浮かぶ光景は太古の昔からそれほど変わらない。ハワイには絶妙な形で自然と伝統文化のエッセンスが詰まっているのだ。

ホノルルのように、都会の機能を果たしつつ、リゾートとしても一流という条件をクリアできる場所はそれほど多くない。けれども重要なのは過去が生きているということだ。美しい花々やアロハシャツやロコモコといった移民文化がその背景にあるように、ハワイという土地は太古の昔から現代に至るまで、取りこんできた世界のあらゆる文化が見事に調和している。渾然一体とした世界こそが、ハワイの魅力だと思う。

けれども自然と一体化したすばらしい環境も、先住のハワイ人たちには少し違ってみえたに違いない。噴火し続ける火の山の麓に住みついた人たちは、度重なる噴火と災害に、天の悪意さえ感じたことだろう。彼らの苦しみが、気まぐれで嫉妬深い火の女神ペレの神話を誕生させたと言ってもいい。だから人々は、祈りのなかに希望と安らぎを見出そうとした。自然の摂理には決して逆らうことができない。世界は自分たちの人生を映し出す鏡であって、いつも見られているという思いがあった。自然とは自分たちの魂が死んで帰るべき場所であり、先祖の霊と再会する場所でもあると人々は信じたのだった。多くの観光客が訪れるホノルルにも、先人たちのさまざまな歴史が詰まっている。遠い南の島からカヌーに乗ってやってきた人々の精神と文化は、通りの名前や公園、運河などに刻まれ、言葉や食事、日用品にいたるハワイの文化にいまも深く根づいている。

本書に取り上げたのは、数ある魅力のなかでも、ひときわ強く自分の心のなかに残った場所の数々だ。それはときに高山の頂であったり、都会の片隅であったり、あるいは荒涼として見える遺跡だったりする。すばらしい光景が展開する場所もあれば、日常的な、何気ない風景が広がる場所もある。共通しているのは、どの場所も、薄れることのない確かな力強さを備えていることだ。それらは個人の感動を超え、見る人すべてに普遍的なメッセージを与えるように思える。だから、だれがいつ訪れても感動がある。観光名所とは少し違うけれど、心と体が共鳴するような感覚のあるところ。ハワイとはそんな場所だ。

二〇一二年一月　近藤純夫

著者について

近藤純夫（こんどう・すみお）

1952年札幌市生まれ。エッセイスト、翻訳家。2000年頃まで冒険家、探検家として活動し、ハワイをはじめとする世界の洞窟や火山を調査してきた。その経験を生かし、ハワイの自然や歴史を踏まえた多彩な本を発表。日本洞窟学会会員。ハワイ火山国立公園アドバイザリースタッフ。

著書に『ハワイBOXフラの本』（講談社）、『ハワイ・トレッキング』『ハワイアン・ガーデン』『ハワイ・ブック』（平凡社）、『もっと深く』（岩波書店）、翻訳書に『イザベラ・バードのハワイ紀行』（平凡社）、共著に『アロハ検定』（ダイヤモンドビック社）、『裏ハワイ読本』（宝島社）、など多数がある。

歩きたくなるHawaii

ハワイの自然と歴史をいっそう楽しむお散歩コース

2012年2月20日　第1版第1刷発行
2015年8月8日　第1版第2刷発行

著　者　近藤純夫
発行所　株式会社亜紀書房
郵便番号　101-0051
東京都千代田区神田神保町1-32
電話　03-5280-0261
http://www.akishobo.com
振替　00100-9-144037
印　刷　株式会社トライ
http://www.try-sky.com

ISBN978-4-7505-1201-3
C0026